D1219104

10
18

12, AVENUE D'ITALIE. PARIS XIIIe

Sur l'auteur

Née en 1938 à Londres, Anne Perry vit aujourd'hui en Écosse. Depuis le succès international des enquêtes du couple Pitt et de celles de William Monk, elle s'est intéressée à d'autres périodes historiques telles que la Révolution française, la Première Guerre mondiale ou encore la Byzance du XIIIe siècle dans sa fresque épique *Du sang sur la soie*.

ANNE PERRY

UN NOËL À KANPUR

Traduit de l'anglais
par Pascale Haas

INÉDIT

Grands détectives

créé par Jean-Claude Zylberstein

Titre original :
A Christmas Garland

ISBN : 978-2-264-06426-4

À tous ceux qui gardent
l'espoir vivant au milieu des ténèbres.

Le lieutenant Victor Narraway traversa la cour dans la fraîcheur du soir. On était à la mi-décembre, deux semaines avant Noël. Chez lui en Angleterre, il devait déjà neiger, mais ici, en Inde, il n'y aurait pas la moindre gelée. Personne n'avait jamais vu un flocon de neige à Kanpur. Une autre année, c'eût été un moment magnifique – le moment de se réjouir, d'évoquer les souvenirs heureux du passé, de renouveler sa confiance en l'avenir tout en ressentant un peu de nostalgie pour les êtres chers laissés au loin.

Cependant, cette année 1857 était différente. Le feu de la révolte avait ravagé le pays en semant la mort partout sur son passage.

Narraway se dirigea vers la partie la moins endommagée de la caserne et frappa à la porte, laquelle s'ouvrit aussitôt. Les lampes à huile projetaient une lueur jaune sur les murs décrépis et ce qui restait du bâtiment qui avait abrité le quartier général quelques mois plus tôt avant le siège. Rares étaient les meubles encore intacts : un bureau portant la trace d'une éraflure de balle, trois chaises ayant connu de meilleurs jours, une bibliothèque et plusieurs armoires, dont l'une n'avait plus que la moitié d'une porte.

Le colonel Latimer, un homme grand et sec d'une quarantaine d'années, avait le teint bruni par une douzaine d'étés passés en Inde, mais la lassitude et les marques de fatigue se devinaient sous son hâle. Il s'adressa au lieutenant âgé de vingt ans d'un air désolé.

« J'ai une tâche déplaisante à vous confier, annonça-t-il posément. Ce doit être fait, et bien fait. Et vous avez beau être nouveau dans ce régiment, votre tableau de service est excellent. Vous êtes l'homme de la situation. »

Narraway réprima un frisson malgré la douceur de l'air. Son père lui avait acheté un poste de commandement, et il avait suivi une brève formation en Angleterre avant d'être envoyé en Inde. Il était arrivé depuis un an, juste avant l'incident des cartouches fatidiques qui avait secoué Dum Dum en janvier et dégénéré en rébellion au printemps. La rumeur circulait que la partie en papier qu'il fallait arracher d'un coup de dents avant d'utiliser les cartouches était lubrifiée de graisse animale. On avait dit aux hindous qu'il s'agissait de graisse de vache. Or les vaches étaient sacrées, les tuer relevait du blasphème, et toucher la graisse avec les lèvres équivalait à être damné. Quant aux musulmans, on leur avait affirmé que c'était de la graisse de porc, un animal impur, et si cette graisse entrait en contact avec les lèvres, leur âme en serait damnée, quoique pour une tout autre raison.

Certes, ce n'était pas la cause de la révolte de centaines de milliers d'Indiens contre la loi de quelques milliers d'Anglais employés par la Compagnie anglaise des Indes orientales. Les véritables raisons étaient plus complexes, relevaient davantage des inégalités sociales et des offenses à la culture locale qu'imposait une autorité étrangère. Ce n'était que l'étincelle qui avait mis le feu aux poudres.

Du reste, d'après ce qu'avait pu apprendre Narraway, la révolte était loin d'être générale. Elle avait beau avoir été d'une violence inouïe dans certaines parties du pays, des milliers de kilomètres carrés demeurés épargnés avaient continué à vivre en paix, bien que dans un certain malaise, sous le soleil hivernal.

En revanche, les plaines hindoustanaises de la province du Sind avaient connu le pire, notamment Kanpur et Lucknow.

Le général Sir Colin Campbell, héros de la récente guerre de Crimée, s'était battu pour mettre fin au siège de Lucknow. Une semaine auparavant, il avait vaincu vingt-cinq mille rebelles ici même à Kanpur. Fallait-il y voir le début d'un renversement de la situation ? Ou bien une simple lueur qui ne serait qu'un feu de paille ?

Narraway, toujours au garde-à-vous, respira profondément pour se calmer. Pourquoi Latimer faisait-il appel à lui ?

« Bien, monsieur », dit-il entre ses dents.

Le colonel eut un sourire las. Son visage, impassible, n'exprimait aucun enthousiasme. « Vous êtes sans doute au courant que le prisonnier Dhuleep Singh s'est échappé. Et que, au cours de son évasion, le garde Chuttur Singh a été frappé à mort. »

Narraway avait la bouche sèche. Oui, il le savait – tout le monde dans la garnison à Kanpur le savait.

« Oui, monsieur, dit-il, docile, en se forçant à articuler.

— Une enquête a été ouverte. » La mâchoire de Latimer se crispa ; une petite veine battait sur sa tempe. « Dhuleep Singh détenait des renseignements confidentiels sur les mouvements de nos troupes, notamment ceux de la dernière patrouille qui est tombée dans un piège et a été massacrée. Cet homme n'aurait pas pu s'échapper sans aide. » Il baissa la voix, comme si parler lui était de plus en plus difficile. « Nos investigations ont abouti à une conclusion qui exclut toute autre hypothèse : le seul qui a pu l'aider est le caporal John Tallis, l'infirmier. » Il regarda Narraway dans les yeux. « Il passera en jugement après-demain. Je vous charge d'assurer sa défense. »

Les pensées de Narraway se mirent à tourbillonner. Un froid glacé le saisit au creux du ventre. Une foule de raisons lui vinrent à l'esprit pour s'estimer incapable de faire ce qu'exigeait de lui Latimer. Il n'était pas à la hauteur de la tâche. Mieux aurait valu demander à un officier du régiment qui avait participé au siège et connaissait tout le monde. En outre, ils auraient dû choisir un officier ayant l'expérience des cours de justice militaire, un homme connu et respecté des soldats.

C'est alors qu'une voix intérieure glaciale et sensée lui souffla que c'était précisément parce qu'il n'était rien de tout cela que Latimer l'avait choisi.

« Oui, monsieur, dit-il tout bas.

— Le major Strafford sera là dans un instant, reprit le colonel. Il vous donnera les instructions et les conseils nécessaires. Étant donné que je présiderai le tribunal, que je le fasse ne serait guère approprié.

— Oui, monsieur », répéta Narraway. Il eut l'impression qu'on enfonçait un nouveau clou dans le cercueil de sa carrière. L'animosité qu'avait pour lui le major Strafford datait d'avant l'époque où il avait rallié le régiment. Cette attitude était très certainement due aux rapports aussi brefs que déplorables qu'il avait entretenus avec le frère cadet du major. Ils avaient fait leur dernière année d'études ensemble à Eton, et peu de choses dans leur association avaient été heureuses.

Narraway était un intellectuel, il s'était montré brillant dans ses études et peu porté sur le sport. Et le jeune Strafford était un magnifique athlète, mais en rien un rival en classe. Ils coexistaient tant bien que mal dans un dédain réciproque. Tout avait été chamboulé un soir d'été lors d'un superbe match de cricket ; le score était serré, mais l'équipe de Strafford menait quand Narraway avait fait preuve d'un soudain éclair de génie dans le seul et unique sport qui lui plaisait. Sans un mot, l'étudiant brun élancé avait éliminé les trois derniers joueurs de l'équipe de Strafford, y compris le grand sportif en personne. Et qu'il l'ait fait avec une aisance manifeste était déjà épouvantable, mais qu'il n'y ait pris ouvertement aucun plaisir était impardonnable.

Le jeune Strafford n'avait jamais pris sa revanche sur le terrain, seul endroit où il aurait pu laver son honneur. D'autres querelles ou victoires ne comptaient pas. Aucune plaisanterie, aucun mot d'esprit piquant ne l'emportait sur le dépit d'un mauvais perdant.

Cependant, ils étaient tout jeunes à l'époque. Cet épisode avait eu lieu deux ans plus tôt, et à des milliers de kilomètres du sous-continent indien.

« Le capitaine Busby sera le procureur, enchaîna Latimer. L'affaire semble relativement simple. Vous serez libre d'interroger le caporal Tallis quand vous le voudrez, ainsi que toute autre personne que vous estimerez utile à votre défense. Si vous avez besoin d'éclaircir certains points juridiques, adressez-vous au major Strafford.

— Oui, monsieur. » Narraway, toujours au garde-à-vous, avait les muscles endoloris à force de se maîtriser.

On frappa un coup bref à la porte.

« Entrez ! » ordonna le colonel.

La porte s'ouvrit sur le major Strafford, un homme grand et séduisant d'une trentaine d'années. Bien que le camarade d'université de Narraway ait été nettement plus jeune, on retrouvait une certaine ressemblance dans la raideur des épaules, les cheveux blonds épais et la forme des mâchoires.

« Monsieur ! » dit Strafford en saluant Latimer. Puis, dès qu'il reçut la permission de se mettre au repos, il se tourna vers Narraway, impassible. « Vous feriez bien de prendre connaissance du dossier ce soir et de commencer vos interrogatoires dès demain matin, dit-il. Assurez-vous de respecter la loi à la lettre. Nous ne tenons pas à ce que quiconque vienne nous reprocher par la suite d'avoir usé de faux-fuyants. Vous le comprenez, je présume ?

— Oui, monsieur. » Narraway perçut la condescendance dans la voix de Strafford et aurait bien aimé lui dire qu'il était aussi conscient que tout le monde qu'on les jugerait sur leur façon de mener l'affaire. Mieux, l'avenir de l'autorité britannique en Inde serait influencé par le retentissement de décisions comme celles-ci. Toute la structure de l'Empire reposait sur la croyance en la justice, la volonté d'accomplir les choses selon des règles immuables et un code de l'honneur sur lequel eux-mêmes ne transigeaient jamais.

Des milliers d'hommes avaient déjà péri, ainsi que des femmes et des enfants. S'ils reprenaient le contrôle de la situation et que revenait une sorte de paix, cela devrait se faire dans le respect de l'État de droit. Ce serait la seule garantie pour les gens, quelle que soit leur couleur ou leur religion. S'ils se laissaient aller à la barbarie, il ne resterait plus aucun espoir pour personne. Actuellement, il semblait ne plus y en avoir beaucoup nulle part. Delhi était tombée, Lucknow, Agra, Segowli, Dinapoor, Lahore, Kolapore, Ramgurh, Peshawar… La liste était interminable. Peut-être ne restait-il plus que des lambeaux d'honneur.

« Bien, dit Strafford d'un ton sec. Quoi que vous pensiez savoir, vous feriez mieux de venir m'exposer en gros votre ligne de défense. » Il regarda Narraway avec attention, ses yeux bleus luisant d'un curieux éclat à la lueur de la lampe à huile. « Car vous devez vous assurer de mettre au point une défense, vous le comprenez ? Au moins faire valoir pour quelle raison un homme comme Tallis a trahi des camarades auprès de qui il a servi tout au long de sa carrière. Je sais qu'il a un quart de sang indien, mais cela ne constitue en rien une excuse. »

Les muscles de son visage tendus tressaillirent. « Crénom de Dieu, des milliers de soldats restent loyaux à leur régiment et à la Couronne en continuant à se battre à nos côtés ! Des dizaines de milliers d'autres effectuent leur devoir comme d'habitude. Nul ne sait comment tout cela finira… Découvrez ce qui a pris à cet homme de se comporter ainsi. L'a-t-on menacé, soudoyé, était-il saoul et a-t-il perdu la tête ? Trouvez une explication. »

Narraway sentit son désarroi laisser place à de la colère. Qu'on l'ait choisi pour défendre l'indéfendable était déjà assez terrible, et voilà que Strafford lui demandait en plus de l'expliquer !

« Si le caporal Tallis en a une, je la ferai valoir, monsieur, répliqua-t-il avec fermeté. J'ai du mal à imaginer ce qui pourrait justifier sa conduite, aussi cette explication sera-t-elle brève.

— Cette explication n'a pas pour but de l'excuser, lieutenant ! rétorqua Strafford d'un ton acide. Elle permettra à la garnison de comprendre qu'il reste encore un peu de bon sens dans ce monde, un fil de raison ténu auquel s'accrocher alors que tout ce qu'ils connaissaient a sombré dans le chaos, que la moitié des êtres qui nous sont chers ont été abattus comme des animaux et que la nation est partout en ruine… » Une rougeur empourpra ses joues pâles, visible malgré la lumière vacillante. « Vous êtes ici pour faire respecter la loi, afin que nous n'apparaissions pas aux yeux de l'histoire comme si nous avions nous-mêmes trahi tout ce en quoi nous croyons, pas pour excuser ce maudit homme ! Vous êtes nouveau ici, je le sais, mais vous devez tout de même avoir un minimum de bon sens !

— Strafford… » Le colonel Latimer l'interrompit calmement. « Nous avons confié au lieutenant une tâche ingrate, il en est conscient. Et s'il ne l'est pas, il le sera dès qu'il aura étudié le dossier de plus près. » Il se tourna vers Narraway. « Lieutenant, nous ignorons où nous serons l'an prochain, ici ou ailleurs, assiégés ou dans une relative liberté… Cette affaire doit être réglée avant. Les femmes et les enfants ont besoin de célébrer Noël, aussi chiche que soit la fête. Nous avons besoin d'espoir, or il est impossible d'en avoir si l'on n'a pas la conscience tranquille. On ne peut pas fêter la naissance du fils de Dieu, pas plus que solliciter Son aide avec confiance, lorsqu'on est accablé de déshonneur. J'attends de vous que vous assuriez la défense de Tallis de telle façon que rien ne vienne entacher notre conduite et nous entraver par la suite. Me suis-je bien fait comprendre ? »

Narraway respira à fond, puis expira lentement. « Oui, monsieur », dit-il, sur le ton de celui qui sait déjà plus ou moins comment il va s'y prendre. Un mensonge implicite. Il salua ses supérieurs et sortit de la pièce. Il n'en avait pas la moindre idée.

Il s'éloigna du quartier général et traversa la cour sans savoir où il allait. La nuit était tombée, les étoiles et une lune aux trois quarts pleine brillaient dans le ciel. La lumière était suffisante pour distinguer les contours des murs délabrés et les volutes noires que dessinaient les tamariniers figés dans l'air immobile. Ses pas ne faisaient aucun bruit sur la terre desséchée.

Il croisa plusieurs personnes, y compris sur la route qui passait derrière le retranchement. Les sentinelles ne lui prêtèrent pas attention. Son uniforme le rendait invisible.

À un kilomètre de là, le gigantesque Gange coulait en murmurant, sa surface presque lisse se reflétant au clair de lune, striée aux endroits où tourbillonnait le courant.

Le prisonnier qui s'était évadé et le garde sauvagement assassiné étaient tous les deux des sikhs. Ce qui n'avait en soi rien d'extraordinaire. De nombreux sikhs s'étaient battus dans les deux camps pendant la rébellion. L'Inde était composée de multiples races et religions, les langues et les cultures variaient d'une région à l'autre. Les petites guerres et les chamailleries n'étaient pas rares.

John Tallis était britannique, mais un de ses grands-parents était indien – Narraway ignorait de quelle région, et même s'il était hindou, sikh, jaïn, musulman ou autre. Il redoutait de le rencontrer ; néanmoins il le devrait, dès qu'il saurait clairement comment aborder l'affaire.

Le crime était monstrueux, il n'y avait aucune défense possible. Le garde, Chuttur Singh, avait reçu d'innombrables coups de sabre. On ne lui avait pas simplement brisé la nuque ou tranché la gorge, ce qui, bien qu'horrible, eût au moins été rapide. Le massacre de la patrouille avait été tout aussi sanglant, mais, en un sens, cela faisait partie de la guerre, et on pouvait s'y attendre. Toutefois, jamais rien de tel ne serait arrivé si l'ennemi n'avait pas su à quel endroit et à quel moment précis leur tomber dessus.

Qu'est-ce qui avait fait de John Tallis, un infirmier de premier ordre dont tout le monde louait la compassion, la loyauté et la compétence, un homme capable de trahir les siens ?

Narraway marchait d'un pas lent, mais il avait déjà atteint le début de la rue qui menait à la ville meurtrie. Au loin, les flèches de deux églises se découpaient sur le ciel. Plus près s'alignaient des boutiques aux portes closes. Il n'y avait quasiment personne alentour, on distinguait juste une lumière ici et là derrière une fenêtre aux vitres brisées, un éclat de rire, une femme qui chantait, des odeurs de nourriture. L'air fraîchissait très vite une fois le soleil couché. S'il restait sans bouger, il allait avoir froid.

Il se remit en marche et sentit l'humidité s'élever du fleuve à mesure qu'il approchait. La terre était plus molle sous ses pieds.

Qu'attendait de lui le colonel Latimer ? Il avait laissé entendre qu'il comptait sur lui pour découvrir un élément qui donnerait un sens à l'acte de Tallis. Les gens avaient besoin de comprendre. Personne ne peut se battre contre le chaos. Sans doute l'irrationnel était-il la dernière des peurs et la pire, une peur contre laquelle il n'existe aucune arme.

En tant que commandant en chef, celui à qui tout le monde s'en remettait, Latimer cherchait à restaurer la confiance en l'ordre, ainsi qu'une raison de se battre.

Narraway dépassa les derniers arbres et contempla l'eau qui coulait vers le nord-est, où il savait que se trouvait Lucknow, au-delà de l'horizon. Un mois exactement avant Noël, le général Havelock était tombé aux abords de la ville, épuisé, vaincu et endeuillé. Avait-il fini par ne plus voir que la noirceur dévorante de la mort et de la panique ? Et l'avait-elle submergé en le privant de tout espoir ?

Jusqu'où la morale était-elle affectée par le tempérament d'un chef ? C'était un des cours qu'il avait suivis à l'université, et plus tard pendant sa formation militaire. Un officier devait connaître la tactique, comprendre ses hommes comme ses adversaires, être familier du terrain et des armes, protéger ses lignes de ravitaillement et rassembler le maximum de renseignements concernant l'ennemi. Mais avant tout, il devait gagner la confiance et l'affection de ses hommes. Agir avec fermeté et avec honneur, en sachant au nom de quoi il se battait et en croyant que cette cause en valait la peine.

Latimer devait régler sans délai le cas de John Tallis, et de telle manière que personne ne pourrait en avoir honte. Il le fallait pour leur survie.

Victor Narraway avait été désigné pour endosser la lourde tâche de défendre un homme totalement indéfendable. Il se sentait piégé, sur le plan aussi bien stratégique qu'émotionnel, comme s'il se retrouvait lui-même assiégé dans la ville de son propre devoir, sans qu'aucune fuite ne soit possible, ni aucune colonne de renfort à espérer.

Il était déjà tard. Tergiverser plus longtemps ne servirait à rien. La situation n'allait pas s'améliorer. Tournant le dos au ruban miroitant du fleuve, Narraway repartit dans la pénombre, retourna vers les baraquements et la prison de fortune où John Tallis était détenu dans l'attente de son procès et de son inévitable condamnation à mort. Il fallait qu'il commence sans plus tarder.

Les gardes se tenaient devant la porte de la prison. Dans l'obscurité, il était difficile de la distinguer, mais leur expression semblait neutre. Ils regardèrent Narraway d'un air indifférent. L'un d'eux brandit une lampe à huile. Tous deux étaient jeunes, mais ils étaient en Inde depuis assez longtemps pour que le soleil ait brûlé leur peau très pâle. Ils reconnurent l'insigne qui indiquait le grade de Narraway sur son uniforme.

« Oui, monsieur ? lança le plus grand des soldats sans la moindre curiosité dans le regard.

— Lieutenant Narraway. Je viens voir le prisonnier. » Il s'attendait à voir le soldat exprimer de la répugnance, montrer une politesse forcée. Mais non. Cet homme était-il réellement impartial ou, après avoir vécu le siège, n'éprouvait-il plus la moindre émotion ?

« Oui, monsieur, dit-il docilement. Veuillez me pardonner, mais… puis-je avoir votre arme de poing ? Aucune arme n'est autorisée à l'intérieur pendant que vous êtes avec le prisonnier. »

Pris d'un frisson, Narraway se rappela que l'homme qui s'était évadé avait tué le garde après lui avoir dérobé son arme. Il tendit son revolver sans discuter.

Quelques instants plus tard, il se retrouva face à John Tallis. Celui-ci était grand, un peu voûté et très maigre, conséquence des faibles rations et de la fatigue due à un long été brûlant sous le siège, puis de son emprisonnement. Sa tunique flottait sur son torse creux et bâillait sur ses épaules. Sa tignasse de cheveux bruns était terne, et ses yeux bleus remplis d'effroi au milieu du visage buriné. Il aurait pu avoir n'importe quel âge, mais Narraway savait qu'il n'avait que trente ans.

Narraway se présenta. « Je suis chargé de vous défendre devant le tribunal, expliqua-t-il. J'ai besoin de m'entretenir avec vous, car je ne sais pas du tout ce que je vais plaider. J'ai pris connaissance de votre passé militaire en lisant votre dossier. Tout le monde s'accorde à le reconnaître, vous avez été l'un des meilleurs infirmiers qu'ait jamais eus le régiment. »

Il vit Tallis redresser le menton en esquissant un petit sourire moqueur. Ses dents étaient très blanches et parfaites.

« Voilà qui me sera très utile si on m'accuse un jour d'incompétence, dit-il, la voix un peu rauque. Malheureusement, ça ne m'aide en rien à l'instant ! »

Narraway chercha quoi dire qui pourrait atténuer ce propos. Qu'est-ce que Latimer attendait de lui ? Il n'y avait aucune défense possible ! Son intervention serait complètement inutile. Pas étonnant que le colonel n'ait pas confié la tâche à un des hommes qui avaient servi loyalement sous son commandement et pendant si longtemps…

« Racontez-moi ce qui s'est passé, demanda Narraway. De façon précise. Donnez-moi tous les détails dont vous vous souvenez. Remontez aussi loin qu'il le faudra pour que les choses aient du sens. »

Tallis le fixa d'un œil incrédule. « Du sens ? Vous êtes ici depuis quand ? Hier ? Rien n'a de sens. Ce n'est qu'un empilement colossal d'une bêtise sur l'autre. Des cartouches enduites de graisse de porc, de graisse de vache… D'ailleurs, c'est sans doute de la graisse de mouton ! Personne n'écoute personne… La moitié d'entre eux se contentent de régler de vieux comptes ou de tirer sur tout ce qui bouge.

— Vous devez pourtant avoir eu une raison de vouloir aider Dhuleep Singh, insista Narraway en désespoir de cause. Donnez-moi quelque chose… n'importe quoi qui plaide en votre faveur. »

La terreur apparut brièvement au fond des yeux bleus écarquillés de Tallis. Il déglutit de façon convulsive, la gorge si serrée qu'il faillit s'étrangler. « Je ne l'ai pas fait ! Et j'ignore qui l'a fait ! »

Narraway fut décontenancé. Tallis ne cherchait pas à se justifier, ni à s'excuser, ni à blâmer qui que ce soit. Il se contentait de nier, purement et simplement.

« Personne d'autre que vous n'aurait pu l'aider à s'évader, le contredit-il le plus posément qu'il put. Tout le monde à part vous a un alibi, d'une manière ou d'une autre.

— Eh bien, soit quelqu'un a menti, soit quelqu'un s'est trompé ! Je n'ai pas tué Chuttur Singh, pas plus que je n'ai aidé Dhuleep Singh à s'échapper. Vous allez devoir le prouver.

— Je dispose de moins de deux jours, protesta Narraway. Le capitaine Busby a déjà examiné le dossier, ainsi que le major Strafford.

— Je n'ai rien fait », répéta simplement Tallis. Il haussa les épaules. « Je suis infirmier. Quand je tue des gens, c'est par inadvertance, pas volontairement. »

Narraway était surpris et furieux ; mais soudain, il vit l'humour désespéré dans les yeux de Tallis.

Il ne put s'empêcher d'être ému par le courage de cet homme. Dans d'autres circonstances, à des milliers de kilomètres de là, il aurait pu l'apprécier. Il humecta ses lèvres sèches. « Où étiez-vous à l'heure où Chuttur Singh a été assassiné ? »

Tallis réfléchit un instant. « Au moment où ils disent que le crime a eu lieu, j'étais dans la réserve, tout seul. Je comptais ce qui nous restait, pour évaluer ce qu'on pourrait obtenir si jamais du ravitaillement de secours arrivait, et comment faire avec ce qui se vend au bazar. Si j'étais en mesure de le prouver, je l'aurais déjà fait. C'est une vraie pagaille, là-dedans… On s'est débrouillés comme on a pu depuis un bon bout de temps. Je suis à court d'inventions.

— Vous n'avez pas établi des listes, noté ce qui manquait ?

— Si, bien entendu, mais je ne peux pas prouver quand. J'aurais pu le faire à n'importe quel moment au cours des vingt-quatre heures précédentes… Croyez-moi, je compte ces foutues provisions jusque dans mon sommeil, en espérant m'être trompé ! Il m'arrive même de me relever en pleine nuit pour recompter. »

« Connaissiez-vous Chuttur Singh ? »

Tallis détourna les yeux. « Oui, répondit-il, d'une voix émue. C'était un brave homme. Avec un sens de l'humour particulier. Il n'arrêtait pas de lancer des blagues insensées qui n'avaient rien de drôle… Le simple fait de le voir rire me faisait rire moi-même. »

Tout cela semblait si banal que devoir parler de meurtre et d'exécution paraissait absurde. Il fallait qu'il se réveille de ce cauchemar. Il avait su le faire, étant enfant – se réveiller. « Et Dhuleep ?

— Il était très différent, répondit Tallis en le regardant avec attention. Un homme placide. On ne savait jamais ce qu'il pensait. Il se récitait de la poésie. Enfin, je crois… En fait, ça aurait aussi bien pu être un chapelet de jurons ou une recette de curry. Ou une lettre à sa grand-mère. » Il cligna des yeux. « S'ils me pendent, vous voudrez bien écrire à ma grand-mère ? Et lui raconter que je suis mort en brave, même s'il n'en est rien ? »

Narraway se retint de lui reprocher d'être aussi désinvolte, ou de l'engager à ne pas renoncer, car tout ce qu'il pourrait dire ne rimerait à rien. Dans deux jours, Tallis serait pendu, l'affaire serait réglée et oubliée avant Noël pour le bien de tous – de tous, excepté Tallis et sa famille là-bas en Angleterre, si fière de lui.

« Si cela s'avère nécessaire, et si vous me donnez une adresse, je le ferai », dit-il, comme si la réponse allait de soi. Mais cela non plus ne servirait à rien. Tallis avait-il accepté l'idée qu'il allait être reconnu coupable et exécuté ?

Narraway ne pouvait pas abandonner aussi vite. Latimer attendait de sa part plus que de la soumission, il voulait une explication qui ramènerait de l'espoir, une étincelle de bon sens au milieu de la lassitude et de la peur. Il parla d'une voix plus dure.

« Quelqu'un a tué cet homme, et vous êtes le seul à ne pas avoir d'alibi. Tous les autres étaient occupés, ou à portée de vue de quelqu'un. Écoutez, si vous aviez une raison de le tuer, ou si vous savez quoi que ce soit sur lui, dites-le-moi… » Brusquement, il se tut. Quoi que réponde Tallis, ça ne changerait rien au fait qu'il allait mourir. Il serait pendu, ils en avaient conscience tous les deux. Mentir serait aussi inutile que sordide. Cela briserait le fil fragile tendu entre eux qui représentait sa seule chance.

« Le régiment a besoin de comprendre, reprit Narraway. Le chaos et la mort règnent partout. Nous avons besoin de croire au moins en nous-mêmes. »

Tallis ferma les yeux. « Mon Dieu, vous êtes si jeune ! Vous avez quoi… dix-neuf ans ? L'an dernier à cette époque, vous étiez en train de passer un examen derrière un beau bureau en bois en attendant que la cloche sonne l'heure de rendre votre copie !

— J'en ai vingt ! rétorqua Narraway en sentant ses joues s'enflammer. Et je… » Il se tut, honteux de penser à lui de cette façon. Tallis allait jouer sa vie devant un tribunal, et on ne lui proposait rien de mieux qu'un tout jeune lieutenant pour assurer sa défense !

Narraway reprit la parole, un ton plus bas. « Je vous en prie, pour le bien du régiment, pour les hommes que vous connaissez et qui ont eu confiance en vous, aidez-les à comprendre. Donnez-leur une raison, quelle qu'elle soit. Pourquoi vouliez-vous sauver Dhuleep ? Que pensiez-vous qu'il allait faire ? Si votre intention n'était pas de trahir la patrouille ni que Chuttur se fasse tuer, qu'est-ce qui a mal tourné ? Si quelqu'un a menti, qui ? Et pourquoi ? »

Tallis le dévisagea. Il ouvrit la bouche comme s'il allait dire quelque chose, puis se ravisa.

« Protégez-vous quelqu'un ? insista Narraway. S'agit-il d'une dette d'honneur ? »

Tallis parut ébahi. « Une dette d'honneur ? » répéta-t-il d'un air incrédule avant d'éclater de rire, d'un rire discordant, empreint d'une pointe d'hystérie.

Narraway se sentit ridicule, douloureusement impuissant. La colère, le désespoir, l'apitoiement, il s'y était attendu, mais pas à cela.

Tallis cessa de rire aussi brusquement qu'il avait commencé.

« Je n'ai pas tué Chuttur Singh à cause d'une dette d'honneur, dit-il d'une voix indifférente, comme si cette idée était inconsistante. Je suis un infirmier qui se trouve porter un uniforme de soldat. Je sauve des vies – toutes sortes de vies. Je soignerais un chien malade, si on m'en donnait un à soigner. Mon honneur, c'est là que je le mets. »

Narraway ne trouva rien à répondre. Il ne savait même pas par où commencer.

« Pour l'amour du ciel, réfléchissez, mon vieux ! s'exclama-t-il, désespéré. Qui était ami avec Dhuleep Singh ? Qui aurait pu lui être redevable ou avoir sympathisé avec lui ? Est-il possible que quelqu'un ait eu une… une dette à effacer, ou un différend avec un des membres de la patrouille massacrée ? Si ce n'est pas vous, il faut bien que ce soit quelqu'un d'autre ! »

Les yeux bleus de Tallis s'ouvrirent tout grands d'étonnement. « C'est pour cette raison que je suis censé l'avoir fait ? Parce que je devrais quelque chose à quelqu'un, ou parce que j'aurais détesté un des soldats de la patrouille ? Je suis infirmier. Je ne sais même pas qui faisait partie de cette maudite patrouille ! Je suis l'un des rares hommes de la garnison qui n'ont pas le temps de jouer ou de faire des dettes… La moitié de notre équipe médicale a été décimée pendant le siège, et ce n'est pas ça qui facilite la tâche des survivants…

— Alors, repensez à ce que vous avez entendu… Des ragots, des histoires… Nous n'avons plus le temps !

— C'est moi qui n'ai plus le temps, rectifia Tallis. Le régiment a besoin de classer cette affaire au plus vite sans pour autant paraître indécent. Et je ne peux pas leur en vouloir. À leur place, je ferais sans doute pareil. » Il pinça les lèvres. « Joyeux Noël, lieutenant ! »

Narraway dormit très mal. Les rêves qu'il fit étaient embrouillés au possible et teintés d'un sentiment de désespoir. Il se réveilla en se battant contre les draps comme si c'était des liens qui l'empêchaient de s'échapper, chercha de l'air en ayant la sensation d'étouffer.

Il revoyait sans cesse les yeux de Tallis. Était-il innocent ? S'agissait-il d'une monstrueuse erreur ? Les autorités avaient-elles si désespérément besoin de désigner un traître, fût-ce au détriment de la justice ?

Quelle autre explication pouvait-il y avoir ? Apparemment, personne d'autre n'avait eu la possibilité de tuer Chuttur Singh, si bien que, à défaut, il fallait que ce soit Tallis. Mais pour quelle raison ? Que ne voyait-il pas qui lui aurait permis de comprendre ?

Narraway était si épuisé que la tête l'élançait et qu'il avait l'impression d'avoir du sable dans les yeux.

Il se leva de bonne heure, fit sa toilette, se rasa et s'habilla avant d'aller au mess prendre en vitesse son petit déjeuner. Il aimait bien les fruits qu'on mangeait ici en été – les mangues, les bananes, les goyaves –, mais il n'en restait déjà plus. Il salua plusieurs officiers et préféra s'asseoir tout seul dans un coin afin d'éviter d'avoir à faire la conversation. Il fallait qu'il réfléchisse.

Le colonel Latimer lui avait donné la journée pour élaborer une ligne de défense. En appeler à la pitié serait inutile. La seule sentence pour un verdict de culpabilité était la condamnation à mort. Des soldats étaient tués sans cesse. Kanpur baignait dans le sang. La mort était partout. Une de plus ne compterait pas.

Après avoir fini de manger, il alla marcher sur la route poussiéreuse. Les bungalows des officiers étaient délabrés : trois ou quatre logements sur un terrain qui, dans de meilleurs jours, avait dû être divisé en jardins. Il n'entendit pas les pas silencieux derrière lui et ne s'aperçut de la présence de Busby que lorsque celui-ci arriva à sa hauteur et lui adressa la parole.

« Bonjour, lieutenant, dit le major, sans feindre de passer là par hasard. C'est une bonne idée de vous éloigner de la caserne… Je suis content que vous l'ayez fait.

— Bonjour, monsieur », répondit Narraway, laconique, en se demandant ce qu'il lui voulait. Il ne se sentait pas encore prêt à discuter de sa stratégie, pas plus d'ailleurs qu'à recevoir des instructions.

Ils arrivèrent à un croisement. Busby se rapprocha, l'obligeant à obliquer vers une route plus large au bout de laquelle commençait la ville.

Le premier bâtiment devant lequel ils passèrent était la bibliothèque aux portes closes. Deux femmes bavardaient sur les marches, des livres à la main, regardant vers les salons de thé et le bazar.

De l'autre côté de la rue, deux hommes sortirent du Breakfast Club et les saluèrent en soulevant poliment leur chapeau. La mine sombre, ils évitèrent d'avoir plus qu'un bref contact avec les deux militaires.

À cette heure de la journée, les salles de billard étaient désertes, tout comme la loge des francs-maçons et sa somptueuse entrée. Narraway avait eu l'intention de se diriger vers le fleuve. Il ne voulait pas du brouhaha et des interruptions incessantes des marchands qui suppliaient d'acheter ceci ou cela, mais Busby était en plein discours, et il ne pouvait pas s'esquiver.

« Ça ne ressemble plus à ce que c'était avant, observa le major avec regret alors qu'ils passaient devant la salle de rédaction. Tout le monde fait ce qu'il peut, mais les souvenirs du siège sont partout, ainsi que la peur que ça ne recommence… Où qu'on pose le regard, on pense à quelqu'un qui n'est plus là. Heureusement que c'est bientôt Noël, pour nous rappeler qui nous sommes et en quoi nous croyons. » Il avançait d'un air dégagé, mais la tension se devinait dans sa voix. Il était légèrement plus grand que Narraway, et plus âgé de sept ou huit ans. Le soleil indien l'avait brûlé en donnant une teinte brique à sa peau, et il marchait avec une très légère claudication, comme s'il souffrait d'une ancienne blessure. Une fine cicatrice courait sur sa joue gauche, à peine visible.

« Oui, monsieur », dit Narraway alors qu'ils longeaient le théâtre où, dans des temps meilleurs, des jeunes gens avaient joué toutes sortes de musiques et de comédies pour la distraction de tous. Désormais, l'endroit était silencieux. « J'ai vu des enfants qui fabriquaient des guirlandes avec des papiers de couleur », ajouta-t-il.

Busby sourit. « Nous devons les protéger. Ils sont en droit de l'attendre de notre part. Nous les amenons ici, à des milliers de kilomètres de tout ce qu'ils connaissent et chérissent, en exigeant d'eux une complète loyauté. Et nous l'obtenons, mais je pense que nous le prenons parfois trop à la légère. Nous leur devons de mener à bien au plus vite ce procès, et particulièrement aux épouses des hommes de la patrouille qui ont été tués. » Il jeta un regard à Narraway, puis reporta son attention sur la route creusée d'ornières. « J'espère que vous le comprenez ? »

Busby était d'un grade supérieur à celui de Narraway, mais, dans le cadre du procès de John Tallis, le rang n'aurait pas dû compter.

« Aussi vite que le permettra la justice, monsieur, concéda Narraway.

— Quels sont les témoins que vous comptez appeler à la barre ? demanda Busby un peu sèchement.

— Je ne sais pas encore. Je n'ai pris connaissance du dossier qu'hier soir, et je n'ai encore jamais représenté personne devant un tribunal.

— Crénom, vous êtes officier, mon vieux ! s'exclama Busby d'un ton dédaigneux. Je ne suis pas homme de loi moi non plus. Ce qui nous intéresse, c'est la vérité, pas les finesses du droit ! Un soldat sikh loyal a été taillé en pièces et dix de nos hommes sont tombés dans une embuscade au cours d'une patrouille… » Il agita le bras vers le sud. « Neuf d'entre eux sont morts. Autant de veuves, et au moins six enfants orphelins de père… Tallis en est responsable. Nous nous devons de respecter la procédure légale, pour notre bien. N'allez pas décortiquer les émotions de tout un chacun et rouvrir d'anciennes plaies en posant des questions inutiles ! »

Narraway ne répliqua pas. À quoi aurait servi d'informer Busby que le colonel lui avait demandé de faire un peu plus que de classer l'affaire. Il voulait comprendre ce qui avait dérapé de façon si dramatique.

Ils firent quelques pas en silence. Une charrette de légumes que poussait un homme rebondit sur une ornière. Deux femmes, sans doute des épouses d'officiers à en juger par leur mise, arrivèrent dans leur direction et les saluèrent d'un vague signe de tête.

« Je ne suis pas certain que vous soyez l'homme de la situation, reprit Busby en regardant droit devant lui. Nous aurions sans doute mieux fait de prendre quelqu'un qui a vécu le siège, et qui comprend les souffrances et les enjeux profonds.

— Je pense que le colonel Latimer m'a choisi précisément parce que je n'y étais pas. Il veut que ce procès soit équitable, mais aussi que tout le monde s'en rende compte. Si j'avais été présent pendant le siège, je risquerais d'être fidèle à certains hommes plus qu'à d'autres, voire à des soldats auxquels je devrais d'être en vie. J'aurais beau ne les favoriser en aucune manière, personne ne pourrait en avoir la certitude. »

Busby avança en silence. Ils passèrent devant une petite église qui se trouvait de l'autre côté de la rue. Le bureau de poste se dressait devant eux. Tous les bâtiments étaient abîmés, certains balafrés par des obus qui avaient explosé tout près. Sur la façade d'un magasin noirci par un incendie, des taches sinistres s'étendaient comme l'ombre d'une main.

« Je ne sais pas qui vous allez appeler à témoigner, dit brusquement Busby. Personne d'autre ne peut être coupable, vous savez. Aussi n'allez pas jeter le doute sur l'honneur d'hommes intègres. Outre le fait que vous ne sauverez pas Tallis, et mon Dieu, vous ne le devriez pas, vous ne vous rendrez pas service. Si vous voulez faire carrière dans l'armée, vous comprendrez ce qu'est la loyauté. » Sa voix se chargea soudain d'émotion. « Car il s'agit bien de cela – de courage au combat, de fermeté et de loyauté. Vous ne servez à rien ni à personne si vos hommes ne sont pas convaincus que, quoi qu'il advienne, ils peuvent avoir confiance en vous. »

Il jeta un coup d'œil en biais à Narraway, le regard intense et pénétrant, puis fixa de nouveau la route. « Mais vous le savez sans doute, je n'ai pas besoin de vous le rappeler. Faites du bon travail, et le régiment entier vous respectera. C'est une lourde responsabilité, je sais.

— Oui, monsieur, répliqua Narraway, s'efforçant de choisir ses mots avec précaution. Mon intention est de défendre Tallis afin que personne par la suite – ou si vous préférez, l'histoire – ne puisse prétendre qu'il n'a pas été jugé de manière équitable. J'espère sincèrement que cela se fera vite et que je ne serai pas obligé d'appeler quelqu'un à témoigner sur un événement qui l'aura bouleversé. Toutefois, la hâte pourrait conduire au déshonneur, et en avoir le regret plus tard affecterait le régiment, voire la réputation de l'armée des Indes dans un proche avenir. »

Busby s'arrêta et fit face à Narraway. « Je crois que je vous ai sous-estimé, lieutenant. Car vous allez être sacrément embêtant, n'est-ce pas ? Mais si vous croyez pouvoir m'apprendre comment gagner la loyauté d'un régiment, vous commettez une grave erreur… Et je vous le prouverai dans moins de deux jours.

— Oui, monsieur, dit Narraway avec une pointe de satisfaction. Je suis persuadé que vous le ferez, et en toute impartialité. Compte tenu des circonstances, vous ne pouvez tout de même pas garantir que Tallis sera condamné.

— Je ne veux pas seulement garantir sa condamnation, bon sang ! Je veux qu'on en termine avec cette affaire, en infligeant le moins de douleur possible aux hommes et aux femmes qui ont enduré des abominations dont vous n'avez pas même idée. » Il fit demi-tour et se dirigea d'un pas rapide vers le retranchement où l'armée avait été assiégée. « Venez ! » ordonna-t-il.

Narraway le rattrapa. Il n'avait aucune envie de retourner à la caserne. Il savait ce qui s'y était passé et ne pouvait qu'en imaginer l'horreur. Ce n'était plus qu'un carré de terre désolée d'une centaine de mètres, avec des bâtiments à un ou deux étages le long de la majeure partie des deux côtés. Le reste se résumait à des refuges en terre, creusés à la pelle et de la taille d'un homme, guère plus. Pendant les dix-huit jours et nuits de bombardements ininterrompus que leur avaient infligés Nana Sahib et ses hommes, neuf cents personnes avaient résisté ici tant bien que mal. La plupart étaient mortes d'insolation, du choléra ou de leurs blessures.

Narraway frissonna en imaginant les gens serrés les uns contre les autres, terrifiés et exténués, essayant de se protéger dans l'attente de renforts qui n'étaient jamais arrivés. Il voyait leurs fantômes. Il aurait voulu s'en éloigner, mais il ne pouvait pas désobéir à un supérieur. Et peut-être même plus encore, il ne voulait pas que Busby sache à quel point il se sentait troublé.

Il garda le silence. Si le major avait quelque chose à dire, à lui d'en prendre l'initiative.

Au loin, un chien aboyait, une femme cria le nom d'un enfant et un éclat de rire résonna, comme si tout était parfaitement normal – les bruits de la vie, semblables à des nouvelles pousses de verdure après l'incendie d'une forêt.

« Ne les laissez pas tomber, Narraway, déclara finalement Busby. Vous leur êtes redevable. »

Narraway aurait voulu dire quelque chose de courageux, que la justice n'était rien sans l'émotion ou la loyauté, mais tout ce qui lui vint à l'esprit paraissait banal et n'aurait fait qu'agacer le capitaine. Pis, lui-même n'y aurait pas cru.

Busby le fixait du regard, attendant qu'il parle.

« De mon point de vue, monsieur, l'essentiel est que, une fois la révolte terminée et l'ordre rétabli, l'Inde sache que la justice britannique se rend en toute équité. »

Surpris, Busby secoua la tête. Il faillit dire quelque chose, puis se ravisa.

« Je ne vous envie pas, finit-il par lancer. Sans doute tenez-vous à épater la galerie… Mais prenez garde à ne pas en faire trop.

— Je n'ai pas choisi la tâche qu'on m'a confiée, monsieur.

— Un soldat ne choisit pas son devoir, lieutenant », rétorqua Busby avec aigreur en regardant du côté de la caserne. « Ces pauvres diables n'ont pas choisi d'être ici non plus… Faites au moins ce qu'il faut pour que cette pendaison soit juste.

— Oui, monsieur », acquiesça machinalement Narraway, sans être certain que c'était ce qu'il voulait dire.

Le major s'éloigna dans la direction d'où ils étaient venus, le dos droit, mais le pas manquant de vigueur.

Narraway attendit quelques minutes avant de partir à son tour, avec le sentiment de tourner le dos aux fantômes, comme si, d'une certaine façon, il niait leur présence.

Il fallait qu'il réfléchisse. Pour l'instant, sa seule ligne de défense consistait à tenter de discréditer les témoins que convoquerait Busby – précisément ce contre quoi il venait de le mettre en garde. Personne n'avait besoin de lui expliquer qu'attaquer un autre soldat ne l'aiderait en rien à se faire des amis. La majorité des hommes avaient déjà terriblement souffert, perdu des camarades et, pour certains, des femmes qu'ils aimaient, ou assisté à des atrocités qu'il ne pouvait qu'imaginer. Il était en Inde depuis un an, mais il ne connaissait pas Kanpur, or cela, personne ne l'oublierait.

Si son père n'avait pas insisté en affirmant que l'armée ferait de lui un meilleur homme que quelques années de plus passées à l'université, il aurait été en train d'allumer un bon feu dans un appartement à Cambridge, se souciant uniquement du prochain examen et attendant avec impatience de rentrer chez lui pour les fêtes de Noël. Son plus grand désagrément aurait été le froid hivernal, et le seul péril qu'il aurait encouru eût été d'obtenir une note inférieure à celle qu'il aurait dû avoir.

Ce n'était pas ce qu'il avait choisi. Il se souvenait de la dernière soirée passée chez lui avant de prendre le train pour Southampton et de s'embarquer sur le bateau, puis de l'interminable traversée vers le sud avant de contourner le cap de Bonne-Espérance et de rejoindre l'océan Indien. Des semaines à rester enfermé, comme un point minuscule sur l'immensité de l'eau – où qu'il regarde, rien que du bleu. Ils auraient aussi bien pu être les seuls survivants sur la terre. Même les étoiles dans le ciel avaient changé, notamment vers la pointe sud de l'Afrique, avant qu'ils remontent au nord et repassent la ligne de l'équateur.

Pour quoi ? Certains des hommes qu'il avait appris à connaître à bord de ce bateau étaient déjà tombés au cours de cette mutinerie sauvage, se battant, dans d'innombrables cas, Indien contre Indien. Il avait entendu dire que les troupes de la reine en Inde se montaient seulement à un peu plus de vingt mille soldats, et même si la Compagnie anglaise des Indes orientales comprenait bien davantage d'hommes, sans compter les femmes et les enfants, ils avaient en face d'eux les Indiens qui eux se comptaient en millions.

Sans s'en apercevoir, Narraway avait marché en direction du fleuve. Les eaux boueuses et rapides étaient dangereuses, pleines de toutes sortes de créatures, et probablement de serpents, en tout cas sur les berges. Mais le Gange le fascinait, lui donnait une sensation d'ouverture et de liberté qu'il n'éprouvait pas ailleurs.

Était-ce un morceau de bois qui flottait là sur l'eau, à demi submergé ? Ou un crocodile ? S'il se penchait pour mieux observer, que raterait-il d'autre ? Les crocodiles montaient parfois jusque sur la rive. Il avait vu leurs dents, semblables à des clous irréguliers et acérés. Ils étaient capables de vous arracher une jambe d'un seul coup. Il ne croyait pas ce qu'on racontait, qu'ils n'étaient pas agressifs et préféraient se nourrir de poisson.

Narraway était-il pour Tallis sa meilleure chance ou la pire ? Il n'y aurait pour lui qu'une seule issue : la potence. Donner l'impression que quelqu'un se serait battu pour lui était son unique mission. Lui-même se savait superflu. Se mettre tout le monde à dos, et que l'histoire garde de lui l'image de l'homme qui avait tenté d'excuser Tallis, serait le prix à payer pour une exécution rapide et justifiée, d'autant que l'affaire devait être réglée avant Noël.

Et si John Tallis était innocent ? Était-ce seulement envisageable ?

Le morceau de bois plongea sous l'eau avec grâce en provoquant des remous.

Un crocodile.

D'après les faits, Tallis était le seul coupable possible. Et pourtant, en se remémorant son visage – le regard bleu clair incandescent –, Narraway avait des doutes, aussi infondés qu'indéniables.

Mais alors, qui était le coupable ? Il était impensable que plusieurs hommes aient menti pour sauver le meurtrier de Chuttur et laisser s'échapper Dhuleep qui avait trahi la patrouille. Ou, pire encore, qu'ils abandonnent Tallis à son sort.

Narraway n'arrivait pas à se débarrasser de l'impression que Tallis avait confiance en lui. Toutes sortes d'arguments lui vinrent pour étayer l'idée que ce n'était pas tant de la confiance que de l'espoir – ou un brillant numéro d'acteur ? À moins, et ce serait plus facile à comprendre, qu'il ne faille y voir le refus d'affronter sa culpabilité.

Cependant, ce n'était pas ce qu'il avait ressenti face à Tallis. Il pensait avoir vu un homme accroché à la certitude d'avoir la vérité de son côté.

Par où commencer ? Si Tallis était innocent, car il ne pouvait rejeter d'emblée cette hypothèse, quelqu'un mentait dans le but de se protéger. Tout vérifier, c'était la seule solution. Au moins se ferait-il sa propre idée sur les faits. Il allait se rendre aux endroits où chacun avait affirmé se trouver, vérifier les dires des uns et des autres. Débusquer les éventuels erreurs, excuses et mensonges.

Narraway fit demi-tour et rejoignit la ville.

La rébellion remontait à près d'un an. Elle avait éclaté à Dum Dum au mois de janvier précédent. Depuis, quasiment chaque jour, il s'était produit un nouveau désastre – la victoire puis le revirement, le siège et l'arrivée des renforts, une nouvelle révolte plus loin ailleurs. Juger un soldat pour la mort d'un garde à Kanpur semblait ridicule alors que, partout dans le nord de l'Inde, des dizaines de milliers d'hommes se mitraillaient et se poignardaient, des hommes en qui ils avaient cru un an plus tôt sans la moindre hésitation.

Il regarda les maisons des officiers qui s'étendaient alentour, les vérandas, les grands jardins laissés à l'abandon, les tamariniers et les manguiers, la brise trop paresseuse pour agiter les feuilles sur les arbres. En été, la chaleur avait été brutale, une véritable fournaise. À cette saison, la nuit, il pouvait faire presque froid.

Il n'était pas en train de se battre armé d'un fusil ou d'un sabre, même si cela viendrait sans doute bien assez tôt ! D'innombrables villes étaient assiégées, ou déjà tombées. Ce n'était qu'un moment de répit.

En attendant que ce jour se dissolve et s'évanouisse, Narraway devait se préparer à la tâche désespérée de faire semblant de défendre John Tallis, ce qui ne lui vaudrait que du mépris, quand bien même tout le monde saurait qu'on ne lui avait pas laissé le choix. Son rôle se résumerait à incarner le deuxième méchant au milieu d'une totale mascarade !

Il accéléra le pas. La seule solution consistait à aller parler aux témoins que Busby ne manquerait pas de faire intervenir. Ce serait certainement les trois hommes qui s'étaient précipités en entendant l'alarme et avaient découvert Chuttur Singh agonisant dans une mare de sang tandis que Dhuleep Singh s'était envolé.

Il passa en vitesse devant une succession de maisons où habitaient des sous-officiers. Elles étaient construites en brique et recouvertes de plâtre blanc à des stades divers d'effritement. Une véranda courait sur trois des côtés, une volée d'une dizaine de marches menait au perron. Chacune était séparée des autres par une étendue de plusieurs acres, comme si l'espace ne comptait pas le moins du monde.

Narraway savait à quoi ressemblait l'intérieur. La porte d'entrée ouvrait sur un grand salon dépourvu de confort, encombré de meubles archi-usés qui semblaient avoir été récupérés dans une vente aux enchères, histoire de dépanner en attendant de trouver mieux.

De part et d'autre, des pièces plus petites servaient à dormir ou à se laver. L'eau, lorsqu'on en avait besoin, était mise à refroidir dehors dans des jarres en terre rouge afin que le bain soit rafraîchissant.

Alors qu'il se retournait vers la route, il aperçut une femme qui marchait à pas lents. Elle tenait un petit enfant dans les bras et un énorme filet à provisions dont les anses lui cisaillaient l'épaule. Le poids la faisait pencher et boiter légèrement, bien qu'il puisse voir à sa silhouette élancée qu'elle n'était pas beaucoup plus âgée que lui.

Il accéléra le pas pour la rattraper.

« Madame ! » l'interpella-t-il, plus fort qu'il ne l'aurait voulu.

Elle s'arrêta et, lentement, se retourna. Son visage émacié portait des traces de poussière là où les doigts de l'enfant avaient touché sa joue, mais sa peau était lisse et sans défaut.

« Oui ? » dit-elle, sans curiosité. Dans ses yeux se devinait l'anxiété, une ombre proche de la peur.

« Puis-je vous aider à porter vos courses ? Je vais dans la même direction que vous. Vous voulez bien ? » Il lui sourit. « Aujourd'hui, je ne me suis pas rendu très utile… J'aimerais faire quelque chose de cette journée. »

La jeune femme lui sourit. Un sourire radieux qui effaça toute sa lassitude, lui confirmant qu'elle n'avait en effet pas plus de trente ans et qu'elle était ravissante.

« Je vous remercie, lieutenant. » Elle posa l'enfant à terre pour enlever le sac de son épaule, mais Narraway le prit lui-même sans qu'elle ait besoin de se donner cette peine. Le poids le surprit. Pas étonnant qu'elle ait avancé avec une telle lenteur ! Les anses avaient dû lui entamer la peau.

Ils se remirent en marche tranquillement.

« Vous êtes nouveau », observa la jeune femme en regardant droit devant elle. L'enfant qu'elle tenait dans les bras avait à peine deux ans et devait marcher, mais ni sur une très longue distance ni à son rythme. Il le regarda derrière ses longs cils châtain doré. Ses cheveux étaient bouclés, et suffisamment longs pour qu'il soit incapable de décider si c'était une fille ou un garçon.

« Cela se voit donc tant ? rétorqua Narraway. Ou bien connaissez-vous tout le monde ?

— Oui, la plupart des gens. Mais en ce moment, ils vont et viennent… » Elle fit une petite grimace triste. « Et à voir votre teint, vous n'avez pas dû être ici pendant la saison chaude. » Elle rougit d'avoir manqué de tact en se permettant une remarque aussi personnelle. « Pardonnez-moi…

— Inutile de vous excuser. J'imagine que je dois faire l'effet d'une rangée de pouces malades ! »

Sa comparaison la fit rire. « La prochaine fois que je vous verrai parader sur la place, je penserai à une rangée de pouces malades ! dit-elle joyeusement. Ce sera une nouvelle insulte à laquelle pensera le sergent major… Mais je vois que vous êtes lieutenant. Vous ne devez pas souvent défiler au pas.

— Pas comme vous l'entendez, non… Bien que j'aie l'impression de pas mal tourner en rond sans rien accomplir. »

Elle le regarda d'un air intrigué. « Une bonne partie de la vie militaire se passe ainsi… C'est du moins ce que disait toujours mon mari. »

Il nota qu'elle parlait au passé et remarqua la peine dans son regard tandis qu'elle resserrait ses bras autour de l'enfant. Dire quelque chose n'aiderait en rien, aussi marcha-t-il près d'elle en silence sur une trentaine de mètres. Et soudain, une pensée horrible le traversa. Son mari faisait-il partie de la patrouille que la trahison de Dhuleep Singh avait menée à la mort ? D'un seul coup, il se rendit compte qu'il ne pouvait pas se permettre de connaître la réponse. Il lui était impossible de lui dire qui il était, et il en eut honte. Il le ressentit comme une nouvelle entaille cruelle dans la tendre chair de ses certitudes. Après avoir défendu John Tallis, il se retrouverait atrocement seul, et peu importait qu'on lui en ait donné l'ordre, et qu'ils ne puissent pas le pendre tant que la justice n'aurait pas été rendue dans les règles.

Il avait tenté d'élaborer quelques questions en vue de l'interroger sur Tallis – n'importe quoi pour en apprendre un peu plus. Mais soudain, les mots se figèrent sur sa langue. Les anses du sac lui cisaillaient les mains. Il se demanda ce qu'il contenait. Sans doute des fruits, des légumes, du riz, de quoi se nourrir elle et son enfant. Se remarierait-elle un jour et en aurait-elle d'autres, ou celui-ci grandirait-il tout seul ?

Il avait envie de lui parler. Marcher côte à côte sans prononcer un mot lui semblait d'une extrême froideur. Cependant, savoir ce qu'apporteraient les deux prochains jours, et qu'elle le verrait alors de façon très différente, le persuada de garder le silence. Combien de temps lui faudrait-il avant d'oublier ? L'homme qui avait essayé de défendre John Tallis ! Serait-ce ce qu'il demeurerait aux yeux des gens d'ici ?

La jeune femme s'arrêta devant le portail d'une maison semblable aux autres, en tout cas d'extérieur.

« Merci », dit-elle avec un sourire timide. Elle se pencha et déposa l'enfant, qui tituba un peu avant de reprendre son équilibre, puis s'assit brusquement sur le sol.

« Je vais porter vos courses sur le perron. Comme ça, vous pourrez le prendre, proposa Narraway en montrant l'enfant qui tentait tant bien que mal de se relever.

— C'est une fille, fit-elle. Merci. » Elle se pencha et reprit l'enfant dans ses bras.

Narraway la suivit. Quelques mètres séparaient le portail des marches du perron. D'un seul coup, la porte s'ouvrit et un petit garçon d'environ cinq ans sortit en courant, une banderole en papier rouge vif à la main.

« Maman ! s'écria-t-il d'un air triomphant. J'ai fabriqué trois guirlandes ! De toutes les couleurs… Et Helena en a fait une aussi. Pas aussi belle que la mienne, mais je lui ai expliqué comment on faisait.

— C'est formidable ! » s'exclama la jeune femme en lui souriant. Il avait des cheveux châtains bouclés comme elle, mais de grands yeux sombres qu'il devait tenir de son père. « Helena ? appela-t-elle. David dit que tu as fabriqué une guirlande toi aussi. Viens me la montrer ! »

Une petite fille se tenait sur le seuil et regardait Narraway d'un œil méfiant.

« Allons, viens ! » l'encouragea sa mère.

Lentement, l'enfant traversa la véranda et descendit les marches en s'arrêtant un instant sur chacune. Elle traînait une guirlande en papier d'un bleu éclatant. Elle rejoignit son frère au bas de l'escalier et tendit la guirlande à sa mère, mais ses yeux ne quittèrent pas une seconde Narraway, partagés entre la curiosité et la prudence.

« C'est très joli, déclara-t-il d'un ton solennel en regardant la guirlande. Tu as vraiment fait ça toute seule ? »

Elle hocha la tête.

« Eh bien, tu es très forte. »

Lentement, timidement, la petite fille lui sourit, découvrant des dents de lait d'un blanc resplendissant.

« C'est pour Noël, précisa le garçon. On va décorer la maison.

— Ce sera magnifique ! dit Narraway.

— Vous fêtez Noël ? demanda Helena.

— Évidemment, petite sotte ! » lança son frère en secouant la tête devant tant d'ignorance. Il se tourna vers Narraway. « Elle n'a que trois ans, expliqua-t-il. Elle ne sait pas. »

Helena brandit sa guirlande bleue. « Vous pouvez la prendre, si vous voulez. »

Il s'apprêtait à refuser poliment, quand il vit réapparaître son sourire – et l'espoir. Il jeta un coup d'œil à la jeune femme, ne sachant trop quoi faire.

« Prenez-la », murmura-t-elle.

Narraway se pencha pour toucher la guirlande. Le papier, plié un peu de travers, était doux et d'un bleu éclatant.

« Tu es sûre ? C'est très beau. Tu ne préfères pas la garder ? »

La petite fit signe que non.

« Alors, merci beaucoup. » Il la prit tout doucement, au cas où elle changerait d'avis. « Je la mettrai chez moi à côté du fauteuil. Comme ça, je la verrai tout le temps. » Elle lâcha la guirlande et il sentit la légèreté du papier dans sa main.

La jeune femme souleva la plus petite et monta les marches. Narraway lui tendit le sac de courses et attendit qu'ils soient tous rentrés dans la maison. Les deux aînés continuèrent à l'observer tandis qu'il repartait dans l'allée avec la guirlande de papier bleu.

La prison où Dhuleep Singh avait été détenu se trouvait face à une grande cour bordée de bâtiments sur trois côtés, et d'une sorte de coude où s'étaient trouvés la plupart des témoins. Des hommes avaient effectué divers travaux d'entretien et de réparation, des tâches routinières qui occupaient la plus grande partie de la journée d'un soldat lorsqu'il n'était pas au combat ou ne participait pas à des exercices. Des tâches ennuyeuses, mais qui valaient mieux que rester à ne rien faire. On pouvait avoir envie de quitter son poste, c'était facile à comprendre, il suffisait ensuite de faire preuve d'un peu d'imagination pour justifier son absence.

Narraway alla se placer en plusieurs endroits, vérifiant les divers angles de vue, ainsi que les possibilités d'erreur ou d'affabulation. Un des hommes avait-il pu être absorbé dans son travail au point de ne pas avoir vu passer quelqu'un ? Il ne le croyait pas.

Quelqu'un avait-il abandonné son poste et couvert ensuite son absence ? Cette solution lui semblait la seule envisageable. Or le prouver serait quasiment impossible. Le simple fait d'essayer lui attirerait de nombreux ennemis.

Il commença par interroger Grant, le premier à avoir rejoint la prison après que Chuttur Singh eut donné l'alarme. Il était resté de garde une bonne partie de la nuit et n'était pas encore en service. Narraway alla le voir en se sentant plus ou moins coupable de le réveiller alors qu'il devait être épuisé. Mais le temps passait, et il n'avait pas d'autre solution.

Il franchit le portail derrière lequel des poneys broutaient sous un magnifique manguier, puis avança d'un pas résolu vers la véranda, monta les marches et frappa à la porte. Il réitéra son geste, ne s'attendant pas vraiment à obtenir de réponse, puis poussa la porte et entra.

« Caporal Grant ? » appela-t-il d'une voix claire.

Personne ne répondit.

Au lieu d'appeler de nouveau, il traversa le salon. Sur une grande table bancale installée au centre de la pièce se trouvaient une demi-bouteille de cognac, quatre bouteilles de soda vides et un tire-bouchon. Des verres utilisés étaient restés là où quatre joueurs avaient manifestement fait une partie de cartes la veille. Il y avait aussi une boîte de cigares, quelques vieux magazines, un encrier assez raffiné, un paquet de lettres et un revolver.

Narraway n'accorda qu'un bref coup d'œil au reste du mobilier – des fauteuils, un antique cabinet japonais, un râtelier avec des lances, des fouets d'attelage et un fusil. En revanche, il s'attarda sur les photos accrochées au mur, espérant qu'elles le renseigneraient quelque peu sur les origines de Grant et son caractère. Une photo d'école. Une peinture d'un soldat et d'une femme comme on aurait pu en voir il y a vingt ou vingt-cinq ans, à en juger d'après la coiffure de la dame et sa robe. Sans doute les parents de Grant. Dès qu'il verrait l'homme, il pourrait le vérifier.

« Caporal Grant ! » appela-t-il plus fort. Il ne voulait pas entrer dans la chambre, c'eût été inconvenant. Lui-même n'aurait pas apprécié qu'un officier d'un grade supérieur au sien se permette de le faire chez lui. Et puis, il préférait se faire de cet homme un allié plutôt qu'un ennemi, au moins pour commencer. « Caporal Grant ! »

Quelque chose remua dans la pièce voisine, puis il entendit un bruit de pas et un bruissement de tissu. Un instant plus tard, Grant apparut sur le seuil, les cheveux hirsutes, encore à moitié endormi. Il avait enfilé son pantalon à la hâte et n'avait pas boutonné sa tunique.

« Pardon de vous déranger, s'excusa Narraway en se présentant. Je ne voulais pas vous réveiller, mais je dispose seulement de cette journée pour parler aux témoins. On m'a chargé d'assurer la défense de Tallis. Et puisque vous êtes arrivé sur les lieux le premier, je commence par vous. »

Grant cligna des yeux. Âgé de quatre ou cinq ans de plus que lui, l'homme était séduisant, et il parlait avec un léger accent de la campagne – sans doute de la région du Cambridgeshire ou un peu plus au nord. Ses cheveux châtains avaient des reflets roux, et sa peau était burinée par au moins un été en Inde.

« Oh, je vois, soupira Grant. Je ne peux rien vous dire de plus que ce que j'ai déjà dit au capitaine Busby. Désolé.

— Finissez de vous habiller. » Le ton tenait plus de la suggestion que de l'ordre. « Je vais nous faire du thé. »

Grant montra la troisième pièce. « La cuisine est par là. Les domestiques sont partis je ne sais où… Ils ont dû me laisser dormir. Je déteste qu'ils traînent ici quand je suis… » Il ne se donna pas la peine de terminer sa phrase. Narraway voyait bien qu'il l'avait tiré du sommeil, mais tous deux savaient que cette conversation était inévitable.

Dix minutes plus tard, ils étaient assis dans la pièce principale. La table avait été débarrassée, et du thé fumait devant eux. Grant était en grand uniforme et rasé de frais. L'air fatigué, les yeux cernés, il se comportait avec une certaine nervosité, mais Narraway l'attribua à la tension que lui imposait de se rappeler une expérience traumatisante dont la conclusion serait l'exécution d'un homme qu'il avait peut-être connu et en qui il avait certainement eu confiance.

« Je ne vois pas ce que je pourrais vous dire qui changerait quoi que ce soit, répéta-t-il de nouveau.

— Racontez-moi simplement ce qui s'est passé. Si je sais ce que vous allez dire à Busby, je pourrai au moins m'y préparer.

— Ça ne changera rien, s'entêta Grant en secouant la tête d'un air navré. Je ne sais pas ce qui lui a pris. J'ai toujours pensé que Tallis était un chouette type. Je l'aimais bien. D'ailleurs, tout le monde l'aimait bien. Enfin… un ou deux officiers trouvaient son sens de l'humour un peu déplacé. » Il leva les yeux vers Narraway. « Ils ne comprenaient pas… Quand on a affaire tous les jours à des malades et à des blessés, si on ne plaisante pas de temps en temps, même des choses épouvantables, on finit par devenir cinglé !

— Vous êtes ici depuis longtemps ? » s'enquit Narraway, intrigué. Qu'avait donc vécu Grant pour parler avec autant d'émotion ?

« Environ deux ans. Avant, j'étais en Crimée. »

Narraway tressaillit. Les désastres de cette guerre et ses erreurs fatales étaient déjà entrés dans la légende. « Vous étiez à Balaklava ? » Il réalisa aussitôt l'inanité de sa question compte tenu des circonstances actuelles.

Grant prit un air désabusé. « Grâce à Colin Campbell », se contenta-t-il de répondre.

Narraway fut impressionné malgré lui. « Vous étiez là-bas avec lui ? »

Le caporal se redressa un instant, et une partie de sa fatigue disparut – ce qui était en soi une réponse. « Oui. Encore une guerre stupide dans laquelle on s'est engagés à la légère sans regarder dans quoi on mettait les pieds ! » Il se passa la main sur le front en repoussant ses épais cheveux. « Pardon… Il y a des fois où j'aimerais mettre tout le gouvernement sur le dos d'un cheval et ordonner de charger face aux fusils ennemis avec pour projectiles des balles recouvertes de graisse de porc ! C'est une métaphore… Désolé. J'ai perdu des amis là aussi. »

Narraway garda le silence, songeant à tous ces jeunes gens morts pour rien parce que quelqu'un n'avait pas su ce qu'il faisait, ou n'y avait pas réfléchi. Des rivières de deuil. Tous avaient été le fils ou l'ami de quelqu'un.

Grant se passa les mains sur le visage et prit une longue inspiration avant de soupirer. « Peut-être que Tallis est devenu fou, le pauvre diable… Je déteste ça plus qu'affronter l'ennemi sur le champ de bataille. Mais je peux vous dire seulement ce que je sais. »

Narraway se força à revenir au présent.

« C'est tout ce que je vous demande », dit-il tout bas. Il était étrange d'être assis là devant une tasse de thé, dans cette maison silencieuse décatie, et de parler de trahison et de meurtre sur le ton de la conversation, tout en ayant les mains qui tremblaient et la gorge qui par moments se serrait. « Vous avez entendu l'alarme de la prison. Où étiez-vous ?

— À une centaine de mètres, dans une des dépendances. Je vérifiais le stock de munitions. Je suis sorti aussitôt…

— Avez-vous vu quelqu'un ? l'interrompit Narraway.

— Je n'ai vu personne devant moi, et je n'ai pas regardé derrière. L'endroit est assez encombré, avec des remises, des annexes… Il y avait un poney et une carriole sur la gauche. Je l'ai aperçu du coin de l'œil en me précipitant vers la prison.

— Avez-vous vu quelqu'un d'autre bouger ou courir ?

— Non. Je devais être le plus près.

— Au moment où vous êtes arrivé devant la prison, la porte était-elle ouverte ?

— Non. C'est une prison improvisée. La vraie a été trop endommagée par les bombardements. Celle-ci convenait parce que c'était un simple dépôt. Fabriquer quelques cellules n'est pas très compliqué, et le tout ferme uniquement de l'extérieur. Une prison idéale, à vrai dire… Sans aide, impossible de s'en évader.

— Y avait-il d'autres prisonniers ?

— Non, seulement Dhuleep. » Grant baissa les yeux sur ses mains maigres et bronzées. « Avant la révolte, il y avait les insubordinations habituelles, des bagarres entre ivrognes, quelques larcins… Depuis le siège et le massacre, personne ne sort du rang. Ceux d'entre nous qui restent sont très… soudés. » Il leva les yeux, espérant que Narraway comprendrait sans qu'il ait à en dire davantage.

Narraway hocha la tête. « De quoi Dhuleep était-il accusé ?

— D'avoir manqué à son devoir. Il n'avait pas assuré sa garde pendant la nuit. J'ai pensé qu'il s'était endormi… On est tous fatigués et un peu angoissés, soupira-t-il. Naturellement, il aurait pu aller n'importe où.

— Sans doute pour essayer de rassembler des informations sur la patrouille. »

Grant fixa de nouveau la table. « Oui… sans doute. À présent, ça en a tout l'air…

— Comment êtes-vous entré ?

— De l'extérieur, c'est assez facile. La clef est dans la serrure.

— Et qu'avez-vous trouvé en entrant ? »

Grant se raidit, son regard s'assombrit. « La porte de la cellule était ouverte. Il n'y avait personne dedans, juste la couche de Dhuleep à même le sol, une assiette de nourriture renversée… et du sang, beaucoup de sang. Chuttur Singh gisait par terre dans la pièce principale, étendu près de la porte. Il a dû utiliser ses dernières forces à se traîner jusque-là pour donner l'alarme. Il y avait du sang depuis la cellule jusqu'à l'endroit où il se trouvait. Il était dans un état épouvantable, son uniforme lacéré et rouge de sang. Son visage, ou ce que j'ai pu en voir, était tout gris. Il pouvait à peine remuer… » Grant se tut, saisi d'émotion en revivant la scène.

Narraway attendit.

Une pendule égrenait son tic-tac sur la cheminée. Quelque part dehors, un chien aboyait et un enfant criait, d'une voix innocente, joyeuse.

« Il était mourant, reprit Grant au prix d'un réel effort. Il m'a dit que Dhuleep s'était échappé et qu'il fallait qu'on le rattrape. Qu'on devait l'arrêter parce qu'il connaissait l'itinéraire que prendrait la patrouille. J'ai voulu rester pour lui porter secours. Il était… il y avait du sang partout ! »

Il leva les yeux, le visage tourmenté par la culpabilité.

« J'aurais dû rester, ajouta-t-il d'une voix rauque. Je l'ai laissé là et suis parti à la poursuite de Dhuleep… Je… j'étais désespéré à l'idée qu'il s'enfuie après ce que Chuttur avait dit au sujet de la patrouille…

— Depuis combien de temps était-il enfermé dans cette cellule ?

— Un jour ou deux, je crois.

— Donc, on ne savait pas qu'il détenait ces informations, sans quoi on aurait modifié l'heure et l'itinéraire de la patrouille, insista Narraway.

— Non, reconnut Grant à regret. Mais la patrouille est tombée dans une embuscade. Ça, je le sais, c'est un fait.

— Comment le savez-vous ?

— Tierney me l'a raconté.

— Tierney ?

— Le seul de la patrouille à s'en être sorti, bien que dans un sale état… Il m'a raconté qu'ils avaient été attaqués par surprise et massacrés. Voilà à quoi a abouti de laisser Dhuleep s'évader… D'ailleurs, c'est pour ça qu'ils pendront Tallis… » Sa voix se brisa. « Seigneur, quelle boucherie !… Personne d'autre n'a survécu. De toute façon, il le mériterait pour ce qu'il a fait au pauvre Chuttur Singh ! En dehors de ce qui est arrivé à la patrouille, aucun homme ne devrait mourir comme ça tout seul par terre… Je n'aurais pas dû l'abandonner… » Grant eut un regard lointain, absorbé par une vision intérieure. « Et on n'a même pas rattrapé ce maudit Dhuleep !

— Avez-vous repéré des traces de sa fuite ? demanda Narraway, sachant bien que, au bout du compte, cela n'aurait rien changé.

— Pas sur le moment. On pensait être derrière lui et que, s'il n'allait pas trop vite, on le rattraperait. Pour ce que ça a servi… » Il retomba dans un silence affligé et resta là, avachi dans son fauteuil sans toucher à son thé.

« Et Attwood et Peterson sont arrivés juste après vous ?

— Oui.

— Combien de temps êtes-vous resté tout seul avant qu'ils ne vous rejoignent ? »

Grant se mordilla la lèvre. « Pas plus d'une minute.

— Répétez-moi ce que vous avez fait, de façon précise.

— Je me suis approché de Chuttur Singh. » Grant se concentra, revivant ces premiers instants atroces. « Je… j'ai vu tout ce sang et j'ai tout de suite compris que ses blessures étaient mortelles. Je voulais juste… Je ne sais pas. Dire "le sauver" est ridicule. Il y avait tellement de sang sur ses vêtements, sur le sol et partout, il était évident qu'il n'y avait plus rien à faire. Dans ces moments-là, on ne réfléchit pas, on se contente de… » Il se tut, le visage livide.

Narraway tenta d'empêcher l'image de se former dans son esprit – en vain. « Vous vous êtes approché de Chuttur Singh et vous vous êtes rendu compte qu'on ne pouvait plus rien pour lui. Et ensuite ?

— Il a dit… "Dhuleep est parti". Et quelque chose à propos de quelqu'un qui était entré et l'avait attaqué par surprise avant de faire sortir Dhuleep. Il marmonnait, étouffait… Je me souviens qu'il a dit "parti". Et après "retrouvez-le, il sait pour la patrouille"… Dhuleep a dû filer pendant que Chuttur rampait de la cellule jusqu'à l'entrée pour donner l'alarme. » Grant transpirait, comme si dans son imagination c'était lui qui se traînait désespérément.

« Et ensuite ?

— Je suis allé regarder dans la cellule, et il avait bien sûr raison… Dhuleep s'était envolé. Il n'y avait que du sang, la couche en était imbibée… C'est là qu'Attwood et Peterson sont arrivés.

— Vous leur avez raconté ce qui s'était passé ?

— Je leur ai dit que Dhuleep était au courant pour la patrouille et qu'il fallait qu'on le rattrape. L'un des deux, je ne sais plus lequel, s'est agenouillé pour voir s'il pouvait aider Chuttur, après quoi on est tous sortis et on s'est lancés à la poursuite de Dhuleep.

— Vous y êtes allés ensemble ou vous vous êtes séparés ? » Narraway s'accrochait au maigre espoir que l'un des trois aurait pu croiser quelqu'un, n'importe qui ayant été ailleurs que là où il avait prétendu se trouver.

La voix de Grant se fit plus lasse. « On a commencé ensemble, et comme on n'a repéré aucune trace, on a décidé de se séparer. Je suis parti vers l'ouest. Je crois qu'Attwood est allé vers le sud, et Peterson du côté du fleuve, mais je n'en suis pas certain.

— Avez-vous emmené d'autres hommes, interrogé des gens, envoyé quelqu'un se renseigner ? le pressa Narraway.

— Oui, bien entendu. Tous ceux à qui on a parlé.

— Et vous avez repéré une trace ? D'ailleurs, vous cherchiez quoi ? Des empreintes ? Comment auriez-vous reconnu les siennes ? Ou alors, quelqu'un qui l'aurait aperçu ? Qui d'autre était dans les parages ? Des soldats, des femmes et des enfants, des civils ? Qui aurait pu le voir ? Quelqu'un a bien dû voir quelque chose !

— Oui, admit Grant avec un sourire en coin. Un soldat sikh en uniforme. Ce qui dans une caserne du nord de l'Inde n'a rien d'extraordinaire. Personne ne savait qu'il s'agissait de Dhuleep et ne lui aura prêté attention.

— Il venait de tuer un homme ! fit valoir Narraway. Ces longs sabres incurvés sont mortels ! Vous avez dit vous-même qu'il y avait du sang partout, que le pauvre Chuttur s'était vidé de son sang… Dhuleep devait en avoir sur lui… On aurait pu ne rien remarquer sur son pantalon drapé et resserré aux chevilles, surtout s'il était d'une teinte sombre ou à rayures, mais sa tunique était de couleur claire, et elle est longue et ample. » Il attendit avec impatience en dévisageant Grant.

« Peut-être qu'il l'a enlevée, suggéra celui-ci au bout de plusieurs secondes. C'est même certain. Parce que, vous avez raison, il devait y avoir du sang dessus… Mais puisqu'il s'est enfui, qu'est-ce que ça peut faire ?… Il est sûrement très loin d'ici. Et où, Dieu seul le sait ! Pas moi.

— Vous venez de dire que vous n'aviez repéré aucune trace sur le moment. » Narraway se refusait à renoncer. « En avez-vous trouvé par la suite ?

— Oui, répondit Grant sans enthousiasme. Des éclaboussures de sang ici et là, des taches sur un mur et le montant d'une porte… Sauf que ça n'a servi à rien. J'aimerais croire qu'une partie de ce sang était le sien, mais on ne sait même pas si Chuttur a eu le temps de lui porter un coup… »

Il baissa les yeux et pinça les lèvres. « Je regrette. J'aimais bien Tallis. Il donnait l'impression d'être l'un des meilleurs parmi nous, mais si c'est lui qui a organisé l'évasion de Dhuleep, je serai content de le voir se balancer au bout d'une corde ! Je ne peux rien faire d'autre que dire la vérité. Quelqu'un est venu de l'extérieur, il n'y a pas d'autre explication. Il a dû frapper Chuttur, ou au moins l'assommer, ensuite faire sortir Dhuleep, et repartir avec lui en laissant mourir Chuttur.

— On ne peut pas ouvrir la porte autrement que de l'extérieur ?

— Non. Ne vous l'ai-je pas déjà dit ? » Il se mordit la lèvre. « Une fois Dhuleep parti, le pauvre Chuttur n'a même pas pu sortir, seulement donner l'alarme… Vous ne pourrez pas sauver Tallis, du reste, vous ne le devriez pas. » Il fixa Narraway droit dans les yeux. Son regard exprimait une profonde tristesse, mais pas le moindre doute.

Narraway alla voir Attwood, le deuxième soldat qui s'était précipité à la prison alors qu'il travaillait au dépôt. Il dut prier le sergent de le libérer le temps nécessaire à l'interrogatoire. L'autorisation lui fut accordée sans enthousiasme, et ils restèrent à l'ombre des hauts murs du bâtiment pour parler. Narraway se demanda pourquoi Wheeler n'avait pas choisi cet endroit pour se retrancher au lieu de ces misérables constructions en terre.

Âgé d'environ trente ans, Attwood avait une cicatrice sur une joue et un doigt en moins à la main gauche. Petit et râblé, il était bâti comme un tonneau et s'exprimait avec un fort accent du Yorkshire. Il considéra Narraway, qui venait du sud de l'Angleterre, avec une sorte de supériorité amusée.

« Rien qui puisse vous aider, monsieur, dit-il vivement. Entendu l'alarme. Couru à la prison. Entré juste derrière Grant. Trouvé le pauvre gars à genoux devant Chuttur Singh, le garde de la prison. Un type bien. Quand vous avez un sikh loyal, vous avez un sacré brave homme ! Eux et les Gurkhas sont les meilleurs soldats qui soient. Mais quand ils sont mauvais, ces gars sont de véritables diables !

— Et Dhuleep Singh ? »

Attwood le foudroya du regard. « Envolé, pardi ! Une fois la porte ouverte, il n'allait pas moisir dans le coin ! Je sais que vous devez trouver un moyen de défendre Tallis. C'est la loi, sans quoi on ne pourra pas pendre ce salopard. Mais vous perdez votre temps. C'est vrai qu'ici, c'est ce qu'ils font le plus souvent », ajouta-t-il d'un air désabusé.

Narraway s'énerva. « Vous pensez à quelqu'un en particulier, sergent ?

— À l'abruti qui a mis de la graisse sur les cartouches à Dum Dum, monsieur. Pourtant, n'importe quel imbécile qui a servi avec des Indiens aurait prévu les conséquences ! De quoi offenser d'un coup jusqu'au dernier d'entre eux ! » Il secoua la tête. « Et ne me dites pas que je ne sais quel petit génie à Delhi a voulu cette boucherie histoire de passer le temps ! »

Narraway repensa à la remarque de Grant sur l'ignorance, mais il ne pouvait pas se permettre d'être d'accord avec Attwood, du moins, pas ouvertement.

« Perte de temps ou pas, je dois faire du mieux que je peux », rétorqua-t-il.

Attwood sourit, révélant une dent ébréchée sur le devant. « N'allez pas mettre le bazar… monsieur », dit-il joyeusement. Le « monsieur » était dénué d'ironie. « On ne veut pas devoir tout recommencer pour le pendre en toute bonne conscience. Pour l'honneur du régiment, échouez noblement, lieutenant. » Dans son esprit, comme sans doute dans celui de la plupart des soldats, ses trois chevrons de sergent valaient plus que l'unique galon épinglé à l'épaule de Narraway. « Mais vous échouerez de toute façon. C'est sûr et certain.

— Alors aidez-moi à le faire le plus noblement possible ! Pendant que vous étiez à l'intérieur de la prison, qu'avez-vous vu, à part Grant agenouillé auprès du garde en train de mourir ?

— Rien, monsieur. J'ai jeté un œil dans la cellule où avait été détenu Dhuleep. Il n'y avait personne, juste la couche sur le sol pleine de sang.

— Beaucoup de sang ?

— Pas mal, oui. Comme s'il y avait eu lutte. Comme si Dhuleep avait donné un coup à Chuttur, armé d'un de ces longs sabres sikhs aussi tranchants qu'un rasoir, et que l'autre avait tenté de se défendre à mains nues. Un meurtre sanglant. À peine un combat. Vous pouvez remerciez Tallis pour ça ! Il a dû s'acharner sur Chuttur avant de faire sortir Dhuleep… Si vous voulez mon avis, c'est un sacré lâche… monsieur. »

Narraway s'efforça de garder son calme. Non qu'il ne fût pas d'accord avec ce que disait Attwood ou qu'il ne comprît pas son mépris. Il était si furieux de sa propre impuissance qu'il s'en voulait d'avoir permis à Tallis de se rendre sympathique et de lui avoir même fait croire un instant à son innocence.

« Avez-vous entendu ce que Chuttur a dit à Grant ?

— Je ne me rappelle plus ses mots exacts, mais il a expliqué que quelqu'un était venu et l'avait attaqué par surprise. Il n'a pas dit qui, bien sûr. Peut-être qu'il ne l'a même pas vu… Le pauvre se mourait… Ce salaud l'a massacré. » Le visage d'Attwood se crispa de colère et de chagrin. Être un soldat aguerri, habitué à la mort et à la sauvagerie des combats, ne l'immunisait nullement contre la douleur ou la perte d'un camarade.

« On ne pouvait plus rien pour lui, reprit-il. Il nous a suppliés de poursuivre le prisonnier. Il a dit qu'il connaissait l'itinéraire de la patrouille et qu'il fallait à tout prix qu'on le rattrape. On n'a pas réussi, mais ce n'est pas faute d'avoir essayé… » Il pinça les lèvres et regarda Narraway, ses yeux bleus brouillés de larmes le défiant de lui offrir sa pitié.

« Oui, sergent, je sais. Le caporal Grant m'a raconté que vous aviez relevé des traces de sang et des empreintes de bottes. Mais je suppose qu'elles auraient pu appartenir à n'importe qui. Personne ne l'a aperçu, n'est-ce pas ?

— Personne, confirma Attwood.

— Il devait pourtant avoir du sang sur lui, fit valoir Narraway.

— Pour certains, tous les soldats sikhs se ressemblent, rétorqua sèchement Attwood. D'autres ont peur et ferment les yeux sur ce qu'ils n'ont pas envie de voir. Tout le monde a peur et est trop malade ou trop fatigué la moitié du temps pour voir où il va, alors, faire la différence entre un sikh et un autre… Maudits barbares ! Il faut être quoi pour tuer des femmes et des enfants ? » Il cligna des yeux en regardant Narraway. « Ne laissez pas traîner cette histoire, monsieur. Il faut en terminer. Faites en sorte que tout soit rentré dans l'ordre avant Noël. Rappelez-vous qui on est et pourquoi on est là. Vous me comprenez ?

— Oui, sergent. Mais ce ne sera jamais terminé si nous ne faisons pas les choses correctement.

— Eh bien, faites-le… monsieur ! répliqua Attwood d'un ton brusque. Et maintenant, si vous voulez bien m'excuser, je vais retourner à mon devoir. » Il le salua, puis, sans attendre d'en avoir reçu l'autorisation, il tourna les talons et repartit vers le dépôt.

Narraway trouva Peterson, le troisième homme arrivé sur le lieu du crime, assis tranquillement sous un tamarinier. Il ne reprendrait son service que dans une heure et fumait un cigare, le regard perdu au loin. C'était un soldat de deuxième classe qui avait deux ou trois années d'expérience. Quand Narraway l'interpella, il se releva en vitesse et se mit au garde-à-vous.

« Oui, monsieur ! dit-il tout en écrasant à contrecœur son cigare.

— Repos, Peterson ! Je ne vous retiendrai pas trop longtemps. » Il regarda l'herbe desséchée sur laquelle le soldat avait été installé et décida que c'était assez confortable. Il s'assit avec précaution et attendit que Peterson ait fait de même.

« Parlez-moi de l'évasion de Dhuleep Singh. »

Peterson le dévisagea avec autant d'écœurement qu'il osait en montrer. « C'est vous l'officier qui va défendre Tallis ?

— Il faut bien que quelqu'un le défende, répondit Narraway.

— Vous êtes nouveau ici, n'est-ce pas ? » Après quelques secondes d'hésitation, il ajouta « monsieur », d'un ton à la limite de la grossièreté.

« Je suis en Inde depuis bientôt un an, mais je suis arrivé à Kanpur il y a seulement une quinzaine de jours. Pourquoi ? Y aurait-il quelque chose que je devrais savoir ? »

Peterson demeura impassible. « C'est bien ce que je pensais… Vous ne défendriez pas Tallis si vous étiez là depuis plus longtemps.

— Pour quelle raison ? Vous estimez qu'on ne devrait pas le juger ? »

Peterson garda le silence.

« Et le pendre sans procès ? reprit Narraway. En effet, je ne suis pas là depuis très longtemps, pas assez en tout cas pour avoir réalisé que nous étions tombés aussi bas… Pendant qu'on y est, faudrait-il pendre quelqu'un d'autre ? »

Peterson rougit. « Non, monsieur. Je voulais dire… c'est juste que je ne comprends pas comment vous pouvez défendre cet homme. La patrouille entière a été massacrée, à l'exception de Tierney, et il n'est même pas certain qu'il s'en sortira… Tout ça à cause de Tallis ! Parce que si Dhuleep ne s'était pas échappé, jamais ils ne seraient tombés dans cette embuscade. S'ils avaient été attaqués ailleurs, ils auraient pu livrer un combat juste et loyal !

— La guerre n'a rien de juste, soldat Peterson. Je pensais que vous le saviez, après trois ans d'expérience. Mais les procès sont censés l'être. C'est leur seule raison d'être. Nous nous devons de vouloir la justice, pas la revanche. Et ne pas nous abaisser à pendre un homme simplement parce qu'on le soupçonne d'avoir commis un acte qui nous déplaît ! »

Peterson se tourna vers Narraway, le regard enflammé. « Un acte qui nous déplaît ? répéta-t-il, manquant s'étrangler. Il a tué Chuttur et laissé Dhuleep trahir la patrouille qui s'est fait massacrer dans une embuscade ! Le mot déplaire me paraît un peu faible, monsieur !

— Oui, c'est vrai, admit Narraway. Et après que nous aurons établi que c'est lui le responsable, nous le pendrons à la plus haute branche et le laisserons s'y balancer… Mais après, pas avant.

— Il est le seul qui peut être coupable. Le major Busby a interrogé tout le monde. Ça ne peut être personne d'autre.

— Dans ce cas, nous n'aurons aucune difficulté à le démontrer devant le tribunal, déclara Narraway, étonné de sa réticence à abandonner tout espoir d'une autre explication. Racontez-moi ce qui s'est passé quand vous êtes arrivé à la prison après avoir entendu l'alarme. »

Peterson répéta en gros la même chose que Grant et Attwood. Il s'exprima à sa manière, mais les faits et les émotions demeurèrent inchangés. Lorsqu'il eut terminé, il garda les yeux fixés à mi-distance, là où deux femmes marchaient en compagnie de petits enfants. Narraway repensa à la femme qu'il avait croisée plus tôt dans la journée, aux enfants avec leurs guirlandes de papier coloré et au sourire d'Helena.

« Il faut en finir », murmura Peterson. Il inspira un grand coup, puis émit un long soupir. Il ne regardait pas Narraway, et pourtant c'était bien à lui qu'il s'adressait, d'une voix basse et impatiente. « Tout ce qu'on croyait certain a volé en éclats.

Partout des personnes en qui on avait confiance se sont retournées contre nous et nous ont tués, sans épargner les femmes et les enfants. Mais Noël reste Noël, où qu'on soit. Nous devons nous rappeler qui on est. Comment c'est chez nous. Ce en quoi nous croyons, si vous... » Finalement il se tourna et regarda Narraway dans les yeux. « Si vous comprenez ce que je veux dire, monsieur ?

— Je comprends parfaitement, soldat Peterson », répondit Narraway avec une émotion soudaine qui le surprit. Ce soldat avait eu l'air d'un garçon ordinaire et taciturne, pourtant il venait de résumer l'essentiel mieux que n'aurait su le faire aucun officier. « Je ferai mon possible. » Il prononça cette phrase comme s'il prêtait serment, puis il se leva. Peterson s'empressa d'en faire autant et de le saluer.

Pour finir, Narraway se rendit à l'hôpital voir le chirurgien.

Son seul but en allant parler à Rawlins était de savoir ce que Busby arriverait à tirer de lui, quitte à ce que cela se révèle tout aussi inutile. Il ne pouvait rien changer, ni se prémunir contre quoi que ce soit. Il poursuivait sa tâche parce qu'il en avait reçu l'ordre. Il aurait voulu pouvoir oublier le visage de Tallis et son regard.

Narraway entra dans le bâtiment qui abritait l'hôpital et emprunta les couloirs quasi déserts, croisant quelques infirmiers, deux soldats blessés avec des bandages et un autre marchant à l'aide de béquilles. Il demanda où trouver Rawlins, et on le lui indiqua. L'endroit empestait le sang, les déchets d'origine humaine, la soude caustique et le vinaigre. Pris d'un haut-le-cœur, il regretta de ne pas pouvoir se boucher le nez. Combien d'hommes s'étaient-ils vidés ici de leur sang ou avaient succombé à la maladie ? Et de femmes ?

Rawlins était en train de recoudre une plaie superficielle sur la jambe d'un soldat. Narraway dut attendre qu'il ait terminé et veuille bien accorder un peu d'attention à une affaire qui à ses yeux n'avait rien d'urgent.

Le médecin disposait d'un petit bureau où il invita Narraway à le suivre. Plus grand que la moyenne et large d'épaules, Rawlins était âgé d'une quarantaine d'années. En pleine lumière, on distinguait un peu de gris dans ses cheveux blonds. Sa peau était tannée par de longues années passées sous le soleil indien. C'était un bel homme, bien plus anglais que Narraway, mais il avait entendu dire qu'il était marié à une Indienne.

« Je me doutais que vous viendriez, dit Rawlins. Cependant, rien de ce que je pourrais vous raconter ne vous aidera. Je le regrette. J'aimais beaucoup Tallis. Il lui arrivait de faire le clown, mais c'était un excellent infirmier. Il aurait fait un bon médecin, si on lui en avait offert l'occasion. Il a sauvé la vie de plusieurs hommes avec cran, et en réagissant vite. » Son expression devint soudain sinistre. « Diantre, je ne sais pas ce qui lui a pris… Le mieux serait de ne pas lui laisser de faux espoirs. Cette histoire ne peut se conclure que d'une seule manière.

— Il affirme qu'il n'est pas coupable. Et, bien que les faits montrent le contraire, j'ai du mal à ne pas le croire. Ou du moins à ne pas penser que lui-même le croit. Pourquoi aurait-il fait une telle chose ? »

Rawlins haussa les épaules. « Dieu seul le sait ! Pourquoi qui que ce soit l'aurait-il fait, à part quelqu'un qui soutient les rebelles ? Mais, dans ce cas, pourquoi ne pas les avoir rejoints ? En restant ici, il a de grandes chances de se faire tuer ! Et ça ne va pas s'arranger dans un proche avenir. Quel désastre !... Être privé d'un bon infirmier est la dernière chose dont nous avions besoin. » Il indiqua un vieux fauteuil à Narraway et se percha sur le coin du bureau. « Posez vos questions. C'est une perte de temps, mais je suppose que je me dois d'y répondre pour la forme.

— Je ne sais pas quoi faire d'autre, avoua Narraway. Un tel acte est indéfendable. » Il voulait dire à Rawlins qu'il se sentait impuissant, et que Tallis l'avait troublé, mais il détestait se plaindre. « Busby va vous interroger sur Chuttur Singh. D'après les déclarations de Grant, il a été frappé à la tête, sans doute assommé. Tallis lui a dérobé son sabre, et quand il a fait sortir Dhuleep de sa cellule, celui-ci s'est attaqué à Chuttur. Est-ce que cela correspond au rapport médical ?

— C'est bien ce qu'il semble, répondit Rawlins comme à regret. Sincèrement, je ne vois pas d'autre possibilité. Le tribunal en tirera les conclusions qui s'imposent. Quelqu'un est entré de l'extérieur et l'a frappé par surprise, sans quoi il se serait défendu. Dhuleep était enfermé dans sa cellule. Il y a nécessairement eu un troisième homme. D'après tous ceux que Busby a interrogés, personne n'était dans les parages en dehors de Tallis. Tous les autres ont fourni un alibi. C'est difficile à croire, et je voudrais bien qu'il en aille autrement, mais c'est ainsi. Il ne sert à rien de ne pas vouloir tenir compte de la réalité. Désolé.

— Savez-vous si Dhuleep a été blessé lui aussi ?

— Apparemment, il a laissé du sang ici et là quand il a pris la fuite, mais très peu. Des traces sur un mur, quelques empreintes… Si ce n'était pas seulement le sang du malheureux Chuttur qu'il avait sur lui, il n'a pas été gravement blessé – hélas ! J'aimerais tant croire que ce sale traître est mort, qu'il gît quelque part dans les broussailles ou sur une de ces berges caillouteuses en train d'être dévoré par les charognards… Mais il a réussi à rallier les rebelles, puisqu'il leur a précisé où tendre une embuscade à la patrouille. »

Son visage se tendit soudain. Si l'on avait rapporté les corps, Rawlins avait dû les voir, peut-être les identifier avant qu'ils soient enterrés. Et il avait soigné l'homme revenu vivant, mort ensuite de ses blessures, ainsi que Tierney, le seul à avoir survécu. Narraway préférait de loin être soldat que chirurgien militaire. Même tenter de défendre Tallis était préférable au travail de Rawlins.

« Je suppose que c'est sans importance, de toute façon. Comme vous dites, les faits ne permettent qu'une seule explication. Je ne vois pas comment les retourner autrement. Comment va Tierney ? Il va s'en sortir ?

— C'est possible. Il a perdu une jambe. J'aurais voulu lui éviter l'amputation, mais les os étaient en miettes. Vous pouvez le voir, si vous voulez, quoique je doute qu'il vous apprendra grand-chose. Il va de soi qu'ils ont été trahis par Dhuleep, mais ça ne change rien pour votre affaire. À votre place, je ne perdrais pas mon temps, ni celui du tribunal, à soulever cette question.

— Je veux bien le voir, s'il est en état, dit Narraway en se levant. Je ne voudrais pas… le déranger…

— Il sera ravi de parler à quelqu'un. Il est encore en piteux état et reste allongé là tout seul la plupart du temps. Nous faisons de notre mieux pour apaiser ses souffrances, mais il n'est pas idiot. Il sait qu'on s'accroche tous comme on peut. Si on ne reprend pas le contrôle de la situation, rien ne dit que nous ne serons pas tous morts d'ici quelques mois… Les nouvelles ne sont pas très bonnes, n'est-ce pas ?

— En effet, confirma Narraway. Pas à ma connaissance. Mais nous avons Campbell. Il se pourrait qu'il renverse la situation avant Noël. Rappelez-vous la Crimée, Balaklava…

— Ah, la brigade lourde ! "Nous sommes là, nous mourons là", cita Rawlins, reprenant la célèbre exhortation du général Campbell à ses hommes. Ce n'est pas exactement ce que j'avais en tête.

— Il a triomphé, lui rappela Narraway.

— Oui, pourquoi la situation ne se renverserait-elle pas ? Je vais vous emmener voir Tierney, s'il est réveillé. Mais c'est pour lui, pas pour vous. Il ne pourra rien vous apprendre d'utile. Suivez-moi. »

Rawlins l'emmena dans une petite salle où un seul lit était occupé. Un homme était adossé à un oreiller, le teint blême et les joues creusées, la peau tendue sur les os évoquant du papier fragile. Il pouvait avoir entre vingt et quarante ans. Le drap reposait sur une armature métallique qui passait au-dessus de sa jambe droite et de ce qui aurait dû être sa jambe gauche.

Aussitôt, Narraway regretta d'être venu, mais il était trop tard pour reculer. Comment Rawlins parvenait-il à endurer ce genre de choses jour après jour sans devenir fou ?

Bien qu'ils se fussent approchés sans faire de bruit, Tierney avait dû sentir leur présence. Il ouvrit les yeux et se tourna vers le chirurgien.

« Bonjour, docteur ! Vous venez voir si je suis encore là ? » Il esquissa un pauvre sourire.

« Vous êtes mon seul patient à plein temps. Il faut bien que je passe vous voir ! rétorqua gaiement Rawlins. Si je n'ai rien à faire, ils risquent de ne pas me verser ma solde, et alors comment je m'offrirais un bon cigare ?

— C'est pile ce que j'aimerais, dit Tierney d'une voix éraillée. Un bon cigare !

— Je vous en apporterai un, promit Rawlins. Mais si vous flanquez le feu au lit, vous n'aurez plus qu'à coucher par terre ! »

Tierney rit, d'un rire écorché. « Parce que vous croyez que je verrai la différence ? Vous avez mis quoi dans ce matelas ? Du sable ?

— De la poudre. Aussi ne faites pas tomber la cendre. » Rawlins lui présenta Narraway. « Voici un nouveau lieutenant, du moins chez nous. Parlez-lui de Kanpur. Nous avons de bonnes mangues, et des tamarins, si vous aimez ça, ou encore des goyaves. C'est à peu près tout ce qui vaut la peine.

— Des nouvelles ? demanda Tierney en continuant à regarder le chirurgien.

— Non, pas que je sache… Mais si on gagne, on vous préviendra, promis ! Et si on perd, vous finirez bien par le savoir. » Il effectua un semblant de salut et repartit dans le couloir en laissant Narraway tout seul près du lit.

Celui-ci n'eut pas le cran d'interroger Tierney sur l'embuscade. Du reste, ça ne changerait rien à l'issue du procès. Peu importait où était allé Dhuleep Singh ou ce qu'il avait raconté. Le meurtre de Chuttur Singh suffirait à condamner Tallis.

« Vous étiez où avant d'être affecté ici ? demanda-t-il, histoire d'engager la conversation.

— À Delhi. Dieu m'en garde ! répondit Tierney avec un sourire maussade.

— J'imagine que ça a été très dur, compatit Narraway.

— Et tellement inutile ! Le soldat indien est un sacré bonhomme. Si on avait écouté, au lieu de toujours croire qu'on sait mieux… On a pris leur loyauté pour argent comptant. Ces foutus imbéciles auraient dû le voir venir… Quel bordel stupide ! Et vous ?

— À Calcutta, répondit Narraway en repensant au jour où il était arrivé en Inde, excité et apeuré, car circulaient déjà des rumeurs d'agitation. Il y a presque un an. Je voulais échapper à l'hiver anglais ! s'esclaffa-t-il d'un air ironique.

— Moi, un peu de neige à Noël ne me dérangerait pas. Vous venez d'où ? À vous entendre, je dirais de Londres ou des environs, mais vous avez dû faire des études… Je vois que vous êtes lieutenant alors que vous n'avez guère plus de vingt ans. »

Sans autre raison que d'oublier un moment l'Inde, la rébellion, la trahison, les blessures, la stupidité aveugle ou les procès, Narraway lui parla de chez lui, des vallons ondoyants et des grandes vallées du

Kent. Il évoqua les longues balades à cheval dans les collines à l'aube, lorsque la lumière jouait sur l'herbe ondulant telle de l'eau sous le vent.

« Alors, que faites-vous ici dans cette poussière à ne manger que du curry et à perdre votre temps en attendant qu'il se passe quelque chose ? demanda Tierney avec un haussement des épaules, les yeux rieurs.

— J'échappe au chou bouilli, aux ciels gris et au vent mordant mêlé de neige fondue ! répondit-il avec entrain. Et à la colère de mon père, ajouta-t-il, avec plus de gravité qu'il ne l'aurait souhaité.

— Vous êtes donc comme la majorité d'entre nous, compatit Tierney. Parlez-moi encore du Kent… Vous aimez la mer ? La mer me manque… Son odeur, la fraîcheur des embruns qui vous fouettent le visage… »

Narraway resta encore près d'une demi-heure, jusqu'à ce qu'il remarque la fatigue de Tierney. Mais ce dernier ne voulut pas qu'il s'en aille. Ce ne fut que lorsqu'il s'assoupit que Narraway s'éclipsa à pas de loup, heureux d'être debout sur ses deux jambes, indifférent aux odeurs de sang, de phénol et d'autres qu'il préférait ne pas nommer.

Il fallait qu'il s'isole pour réfléchir. Le trop-plein d'émotion l'empêchait d'échafauder une stratégie digne de ce nom.

La futilité de l'entreprise le décourageait. Tout le monde avait au moins une idée du gâchis de la guerre de Crimée, et en remettait même en cause le but. L'armée qui avait battu Napoléon à Waterloo s'était reposée trop longtemps sur ses lauriers. Elle était désormais encombrante et avait grand besoin d'être rénovée.

La bêtise de cette histoire de graisse sur les balles, qui avait éclaté au grand jour à Dum Dum et déclenché la rébellion de tout un peuple, continuait à trouver des excuses chez certains. Tout aurait pourtant pu être évité ! N'existait-il pas des communications, des services secrets qui auraient permis d'empêcher cette erreur ? Les militaires ne parlaient-ils jamais aux autorités gouvernementales ? Ne les écoutaient-ils donc pas ?

Ce n'était qu'une petite partie de l'ensemble, néanmoins, en songeant à ces balles lubrifiées avec de la graisse et à la rumeur qui s'était propagée tel un incendie, Narraway comprenait les conséquences démesurées que pouvait avoir le moindre geste irréfléchi. Une allumette suffisait à déclencher les flammes qui ravageraient un pays où la terre était aussi sèche que de l'amadou, ce dont personne, là encore, ne s'était aperçu.

Pour le bien de tous, il devait faire ce que Latimer lui avait ordonné. S'il ne défendait pas Tallis de façon que le tribunal puisse dire qu'il avait été représenté correctement, son exécution équivaudrait en un sens à un nouveau meurtre. On garderait l'impression que le régiment l'avait condamné afin de venger son propre échec et non dans un esprit de justice. Ils auraient l'air faibles, indignes de confiance, et, pire encore, l'histoire les jugerait dépourvus d'honneur.

Narraway continua à marcher, le pas presque silencieux sur la terre et l'herbe rase de l'hiver. Il passa devant des murs atteints par des obus. Quatre mois après les événements, ils s'écroulaient. Il aperçut devant lui un petit monticule d'herbe et de broussailles enchevêtrées au pied de trois arbres grêles et gracieux. L'un n'avait plus aucune feuille et était manifestement mort. Les deux autres montraient encore quelques signes de vie et se couvriraient de feuilles au printemps, peut-être même seraient-ils en fleur.

Un peu plus loin, il aperçut la margelle en pierre d'un puits. Il n'y avait rien pour tirer de l'eau, ni de couvercle pour empêcher les feuilles de tomber, pas de corde, pas de poulie, pas de seau.

Il s'arrêta en l'observant d'un air intrigué. Il émanait de l'endroit un sentiment de désolation.

« Vous ne pouvez pas vouloir rester là, monsieur. »

Il se retourna et vit Peterson qui se tenait quelques mètres derrière lui.

« Je ne peux pas ? » Peterson était tout pâle, le regard éteint. « Êtes-vous malade ? s'inquiéta soudain Narraway. Vous avez l'air…

— C'est à cause de ce puits, monsieur, répondit Peterson en frissonnant. Vous ne voulez pas rester là.

— Ce puits ?

— Le puits de la Bibighar, où ils ont jeté des femmes, après les avoir mutilées, décapitées et leur avoir coupé… » Il montra sa poitrine d'un geste impuissant. « Et ensuite leurs enfants. Des dizaines et des dizaines, et certains n'étaient même pas morts. Ils ont rempli le puits jusqu'en haut. Non, vous ne voulez pas rester là, monsieur. »

Narraway crut un instant qu'il allait vomir. Pris de nausée, il vit les contours des arbres se brouiller devant ses yeux. Il se tourna vers Peterson.

« Non, en effet. J'ignorais que c'était… ce puits. » Prudemment, un peu vacillant, il mit un pied devant l'autre et s'éloigna de quelques pas.

Il avait entendu chuchoter des bribes de cette histoire, surpris des conversations qui très vite s'interrompaient pour se réfugier dans le silence et la douleur. Kanpur avait été sauvé le 17 juillet, il y avait maintenant cinq mois, mais les fantômes du siège étaient partout. La chaleur avait été écrasante, plus de cinquante degrés à l'ombre. Les renforts horrifiés avaient découvert plus de quatre cents cadavres, d'hommes, de femmes et d'enfants.

Dans la Bibighar – l'immense maison dans laquelle Nana Sahib avait rassemblé les femmes pour son plaisir pendant qu'il occupait la ville –, les soldats avaient trouvé des marques de sabre au bas des murs à l'endroit où les femmes avaient été contraintes de s'agenouiller avant d'être décapitées. Le sol était jonché de cheveux et de peignes, de souliers d'enfants, de chapeaux et de bonnets, de pages arrachées à des bibles et à des livres de prières. Leurs bottes avaient pataugé dans le sang.

« Je lui ouvrirai le ventre et lui arracherai les entrailles, déclara tranquillement Peterson, le regard perdu. Et je les brûlerai devant lui encore attaché. »

Narraway eut du mal à reprendre la parole. « Personne ne vous le reprocherait, dit-il, toussant un peu pour s'éclaircir la voix. Mais, si c'était le cas, je vous défendrais. Vous n'auriez pas besoin de meilleures compétences que je n'en ai pour vous sortir de là. Je ne comprends pas comment il y a encore ici quelqu'un sain d'esprit…

— Peut-être qu'on ne l'est pas. Il m'arrive de me demander si je le suis encore. Je me réveille en pleine nuit et je le sens. C'est drôle, non ? Je ne le revois pas toujours, mais je le sens, et j'entends les mouches. Vous croyez en Dieu ? »

Narraway faillit répondre machinalement, puis décida que Peterson méritait mieux. Et lui-même avait besoin de plus que d'une réponse banale.

« En tout cas, je crois à l'enfer, dit-il en prenant soin de choisir ses mots. Je dois donc croire au paradis aussi. Et s'il y a un paradis et un enfer, il doit exister un Dieu. Parce que, s'il n'existe pas, tout ceci est insupportable. Mais ce n'est sans doute pas une raison… »

Peterson secoua la tête. « Ce n'est pas comme le bien et le mal. Là-dessus, personne n'a de doute. Mais est-ce que quelqu'un contrôle tout ça ? Parfois, je me demande si les choses n'arrivent pas simplement, et puis c'est tout. Y a-t-il un sens, une justice ? Ou bien est-ce que tout dépend de nous, et que personne ne fait à notre place ce que nous ne pouvons ou ne voulons pas faire ?

— C'est une vraie question, soldat Peterson… Mais je suppose que le puits de Bibighar est un endroit qui en vaut bien un autre pour la poser. »

Narraway réfléchit un instant. Le lieu imposait de répondre à ce genre d'interrogations, et pas seulement à cause de Peterson, du procès prévu le lendemain, de Tierney ou de Tallis. Lui-même en ressentait le profond besoin.

Peterson attendit.

« Si quelqu'un était aux commandes, on pourrait penser qu'il ferait un meilleur boulot, commença

Narraway. Ce qui s'est passé ici paraît être au-delà du mal ordinaire que commettent les humains. Comme si quelqu'un avait ouvert une porte sur autre chose… Mais si l'enfer n'était pas plus bas que ce qu'un être sensé est capable d'imaginer, peut-être le paradis ne serait-il pas plus haut que nos rêves les plus merveilleux. »

Peterson secoua légèrement la tête. « Vous n'accepteriez pas que le paradis soit un peu plus bas si l'enfer pouvait… ne pas être aussi atroce ?

— Je ne crois pas qu'on m'ait jamais posé cette question, répliqua Narraway avec sérieux. Et d'ailleurs, je ne sais pas ce que j'aurais répondu. Je n'ai jamais vu la partie paradis… seulement ça !

— Mais vous y croyez ? »

Narraway repensa à la guirlande bleue et à toutes les femmes qui allaient fêter Noël avec leurs enfants. « Oui, j'y crois. Comme la plupart des êtres humains, et quoi qu'il advienne… Nous ramassons les morceaux et nous recommençons pour ceux qui croient en nous. Si nous y parvenons, le meilleur de ce qu'il y a en nous reprend confiance en quelque chose, tend vers un idéal… On ne peut pas les laisser tomber.

— Dieu, monsieur ?

— Je pense. Quelque chose qui est aussi bon que tout ceci est affreux. Croyez-y, au moins jusqu'au jour où vous vous réveillerez mort et vous rendrez compte que ce n'est pas vrai ! »

Peterson se détendit un peu et se fendit d'un sourire. « Je ne m'attendais pas à autant de franchise de votre part… Je vous remercie, monsieur. Mais si j'étais vous, je ne resterais tout de même pas ici. »

Narraway en convint. Il lui adressa un bref salut, puis s'éloigna de la Bibighar et de ses fantômes.

Savoir, c'était la clef. Il s'assit sur le contrefort en pierre de l'ancien arsenal réduit à un amas de ruines. Un vent froid s'était levé et agitait les feuilles sur les arbres. L'information, c'était cela qui comptait, et comment elle s'accumulait pour finir par former un sens, si toutefois il parvenait à le déchiffrer. Tout se résumait à assembler les éléments dans le bon ordre.

Une des difficultés tenait au fait qu'on n'était jamais certain de disposer de tous les éléments, ou qu'il ne manquait pas encore quelque chose d'essentiel au centre du tableau.

Qu'avait-il négligé pour que cette histoire n'ait pas d'explication satisfaisante ? Il était militaire, pas policier ni avocat. Mais, en faisant un effort, il devrait finir par comprendre. Il connaissait les gens, connaissait les événements… Les abordait-il dans le mauvais ordre ? Négligeait-il quelque chose ? Un point déterminant n'était-il qu'un mensonge ? Un seul changement transformerait-il l'ensemble en lui donnant sa cohérence ?

Personne ne se trouvait dans la prison, à part Chuttur et Dhuleep. La porte s'ouvrait uniquement de l'extérieur. Grant avait trouvé celle-ci fermée, était entré et avait découvert Chuttur mourant, qui lui avait dit que Dhuleep s'était échappé – quelqu'un avait organisé son évasion, mais il n'avait pas précisé qui. Environ une minute plus tard, Attwood et Peterson étaient arrivés, et ils n'avaient croisé personne. Ils avaient confirmé tout ce que Grant avait dit. Chuttur était mort sans prononcer un mot de plus.

Les trois soldats s'étaient élancés à la poursuite de Dhuleep, mais en vain. La patrouille était tombée dans une embuscade et tous les hommes avaient été massacrés – tous sauf Tierney.

Le seul qui n'avait pas été à son poste était Tallis. Or il jurait qu'il était innocent. Que manquait-il ? Où y avait-il eu mensonge ?

Le coupable ne pouvait être que Tallis.

Quelle était l'information dont Narraway n'avait pas connaissance ? Il détestait ce chaos qui se répandait en lui comme à travers toute l'Inde, et dont une part minuscule lui brouillait l'esprit d'une façon insensée. Cette sensation de noirceur intérieure lui faisait horreur.

On l'autorisa à voir Tallis sans lui poser de questions. Cependant, les gardes le dévisagèrent avec froideur, comme s'ils le soupçonnaient de le défendre par choix, et non parce qu'il en avait reçu l'ordre. Narraway hésita à leur rappeler qu'il était là contre son gré, avant de réaliser que ce serait puéril. La moitié de ce qu'on devait faire dans l'armée se faisait contre son gré. Il n'en fallait pas moins le faire au mieux de ses compétences, et sans se plaindre ou tenter de se justifier. En tant qu'officier, on attendait mieux de lui. Et qu'il ait encore été étudiant deux ans plus tôt était sans importance. Nombre de ces hommes avaient été soldats à l'âge de dix-huit ans, s'étaient battus et fait tirer dessus en se comportant avec courage et loyauté. Le respect se gagnait.

Il remercia les gardes et entra dans la cellule.

Tallis se mit au garde-à-vous. Bien que Narraway l'ait vu à peine quelques heures plus tôt, il lui parut encore amaigri, son teint plus gris. Cet homme n'avait plus que deux ou trois jours à vivre, et cette ombre se percevait dans l'âpreté de son regard.

Il n'y avait pas de temps à perdre en politesses – à ce stade, c'eût été une farce. Ils restèrent debout, il n'y avait rien pour s'asseoir dans la cellule.

« Repos ! ordonna Narraway. J'ai parlé aux trois hommes qui ont répondu à l'alarme et ont découvert Chuttur Singh. Il n'a pas prononcé votre nom, mais il a dit qu'un homme était entré et l'avait attaqué par surprise, puis qu'il avait fait sortir Dhuleep, ou quelque chose qui revient à cela. Compte tenu de la situation, c'est la seule réponse qui ait un sens. Il n'aurait pas pu ouvrir la porte lui-même de l'intérieur.

— Je sais. Nous savons tous qu'il devait y avoir quelqu'un d'autre, mais ce n'était pas moi. » Sa voix était posée, pourtant le désespoir se devinait dans ses yeux. « J'étais dans la réserve en train de compter ce qui nous restait de bandages et de médicaments. Je ne peux pas le prouver, car personne d'autre ne sait ce qu'il y avait là. Si moi-même je l'avais su, je me serais dispensé de les compter ! C'est la première fois que je regrette que nous n'ayons pas eu un pauvre diable malade là sur place !

— Vous avez déjà soigné Dhuleep ? demanda Narraway. Savez-vous quelque chose de lui ? Ce n'est pas le moment de garder secrètes des informations médicales.

— J'imagine que je pourrais toujours en inventer ! dit Tallis avec une fausse joie. Que diriez-vous de la rage ? Je l'ai aidé à s'échapper pour qu'il aille contaminer l'armée des rebelles. Ce n'est pas bien ? Alors, disons que…

— Tallis ! Je veux savoir si vous connaissez cet homme… Avez-vous eu l'occasion de le soigner ? »

Tallis parut légèrement surpris. « Oui. Il avait un oignon au pied droit. Je le revois très bien. Je pourrais même vous le dessiner. Néanmoins, on ne peut rien y faire. Je l'ai soigné pour une indigestion. Ce qui ne signifie pas qu'on était amis. Je soigne les gens que je n'aime pas comme les autres. C'est ça, la médecine. » Il esquissa un sourire triste rempli de dérision. « Comme vous défendez les gens, que vous les croyiez coupables ou pas… »

L'espace de quelques secondes, Narraway ne sut quoi dire. Il n'avait pas eu l'intention d'être aussi transparent. « Donnez-moi n'importe quoi qui me permette d'argumenter ! implora-t-il. Comment était Dhuleep ? Pourquoi personne ne s'attendait qu'il prenne la fuite ? Pourquoi y avait-il un seul garde ? Qui aurait voulu lui venir en aide ? Qui fréquentait-il ? Qui tenait à le voir libre ? Si ce n'est pas vous le coupable, quelqu'un l'est ! Pour l'amour du ciel, mon vieux… aidez-moi !

— Parce que vous croyez que je ne passe pas mes nuits à réfléchir ? Personne n'aime rapporter, mais si j'en connaissais, je vous embobinerais volontiers avec des histoires comme le meilleur acteur au théâtre. L'idée m'est venue qu'il aurait pu définir un renseignement qui valait la peine de le libérer, mais à qui l'aurait-il vendu ? À Latimer ? Je me suis ensuite demandé s'il n'était pas doublement traître, par rapport à nous et aux rebelles. Peut-être qu'on l'a relâché exprès, dans le but de propager des mensonges, comme une maladie. N'importe quoi qui ait un sens. » Il haussa les épaules. « Mais, à ma connaissance, il n'était qu'un soldat sikh de plus qui semblait loyal. Certains le sont, d'autres pas. On ne peut pas se passer de ceux qui le sont. Enfin, regardez ! dit-il en montrant l'immensité de l'espace par-delà la cellule et la caserne. Nous sommes une poignée d'hommes blancs à un demi-monde de chez nous, quelques dizaines de milliers qui essayons de gouverner un continent entier ! On ne parle pas leurs langues, on ne comprend pas leurs religions, on ne supporte pas leur maudit climat, on n'est pas immunisés contre leurs maladies... Pourtant nous sommes là et nous voulons en plus qu'on nous apprécie ! Et nous sommes tous stupéfaits quand ils nous plantent un couteau dans le dos... Dieu nous préserve, nous sommes des imbéciles !

— Abstenez-vous de tenir ce genre de propos demain devant le tribunal, rétorqua Narraway d'un ton sec, bien qu'il fût étonné d'être d'accord avec lui.

— Ne laissez jamais la vérité ruiner une bonne défense ! paraphrasa Tallis avec un sourire en biais. Je n'ai aucune bonne défense, sinon que je n'ai rien fait. Et je n'ai aucune idée de qui est le coupable. J'ai confiance en vous parce que je n'ai pas d'autre choix. Si vous m'aviez demandé il y a un mois si je croyais en je ne sais quelle justice divine, ou en l'honneur de l'homme, je vous aurais ri au nez et aurais probablement répondu par une mauvaise plaisanterie... » Il haussa ses maigres épaules. « Si on ne croit en rien, autant se tirer une balle dans le crâne ! C'en est alors fini et ça a l'avantage d'aller vite ! »

Soudain, son visage reprit son sérieux. Le sourire, la lueur d'autodérision, tout s'évanouit. « On voit des actes d'un courage sublime, des gens qui endurent la souffrance, qui se retrouvent défigurés ou mutilés et ne seront plus jamais entiers, mais ils ne se plaignent pas et conservent leur dignité. Et ça n'a rien à voir avec la capacité à maîtriser son corps ou son esprit… Les gens tiennent aux autres, même lorsqu'ils ont conscience qu'ils vont mourir. Ils gardent la foi même quand la situation est absurde, que tout est fini et qu'ils le savent. »

Narraway avait envie de lui crier d'arrêter, mais il devait l'écouter, et même le croire.

« Je sais qu'ils vont me condamner bien que je sois innocent, reprit Tallis sans le quitter des yeux. Néanmoins, je crois que vous trouverez un moyen de le prouver. C'est injuste, non ? » Il sourit. Un sourire resplendissant, comme si en dépit de tout ce que lui dictait la raison, il y avait en lui une sorte de bonheur qu'il se refusait à abandonner. Il ne voulait pas accepter la réalité. « Vous devriez essayer d'être médecin, un jour. De voir ce qui se passe après chaque bataille, chaque escarmouche. Ils les amènent les uns après les autres, des hommes qui comptent sur vous pour les sauver, et vous ne pouvez pas, mais vous essayez quand même. On apprend une chose, lieutenant : il est impossible de savoir qui vivra et qui mourra. On apprend qu'il existe quelque chose de plus grand que soi, plus grand que ce que vous dit le bon sens. Je crois en l'impossible, qu'il soit bon ou mauvais. J'en ai vu beaucoup… Je n'ai pas tué Chuttur, pas plus que je n'ai laissé s'échapper Dhuleep. Je n'étais même pas là. »

Narraway voulait une réponse, avoir quelque chose à dire de brave et de sensé. Il aurait voulu croire en l'impossible, avec une soif torturante, et il ne pouvait pas. Il fit la seule chose qui lui semblait supportable : il mentit.

« Alors, moi aussi je vais croire aux miracles, dit-il dans un souffle. J'en trouverai un. »

Il ne s'attarda pas davantage. Il avait déjà posé toutes les questions possibles, et aucune réponse n'aidait en rien, ne faisait que souligner la futilité de toute cette histoire. Il sortit de la prison et s'éloigna dans la pénombre. Le ciel immense se déployait au-dessus de lui, parsemé d'étoiles. Une brise légère agitait les branches des rares arbres, dessinant un treillis noir en contre-jour. Il se sentait coincé, aussi enfermé et entravé que Tallis. Il ne voyait pas d'échappatoire.

Narraway parcourut une assez longue distance. Il savait qu'il devrait faire son rapport au colonel Latimer avant de rentrer, mais il le remettait le plus tard possible. Il n'avait rien appris d'utile dans le temps qu'on lui avait octroyé pour s'occuper du dossier. Et, à dire vrai, il ne pensait pas qu'en avoir plus pût changer quoi que ce soit. Cela ne servirait qu'à repousser l'inévitable et à prolonger le malheur de tout un chacun, à commencer par celui de Tallis.

Il fit demi-tour et se dirigea vers le mess des officiers, où il savait qu'il trouverait Latimer à cette heure de la soirée. Busby et Strafford seraient sans doute avec lui, ce qui n'arrangerait rien.

Alors qu'il passait devant deux petites maisons, il entendit du bruit : quelqu'un plantait des clous dans une planche. Il se demanda pour fabriquer quoi. Un meuble ? Réparer une chaise ou une table ? Un jouet pour un enfant, un cadeau de Noël ? Un chariot avec des roues qui tournaient, peut-être ? Il se rappelait en avoir eu un dans son enfance. Seulement quinze ans plus tôt, il avait eu l'âge de jouer avec ce genre de choses.

Le petit garçon de la jeune veuve aurait-il un chariot à Noël ? Ou des briques de couleur ? Et s'il veillait à ce qu'il en ait un ? Il ne serait pas obligé de l'offrir lui-même au garçon – sa mère serait embarrassée, se sentirait redevable, et il ne le voulait pas. Est-ce qu'un chariot ferait plaisir à l'enfant ? Est-ce que ça ne valait pas la peine d'essayer ? La petite fille, Helena, lui avait donné sa guirlande bleue en étant sûre qu'elle lui plairait parce qu'elle lui plaisait à elle. Il faudrait qu'il lui trouve un cadeau à elle aussi. Il n'aurait qu'à demander à quelqu'un. Une femme saurait le conseiller.

Il s'arrêta et frappa à la porte d'où provenait le bruit. Au bout de quelques minutes, un homme avec un tablier en cuir vint ouvrir. « Oui, monsieur ? » demanda-t-il aimablement. Il avait la peau foncée et les cheveux très noirs d'un Indien.

« Vous êtes charpentier ? s'enquit Narraway.

— Non, je répare juste quelques objets ici et là… Si vous avez une chaise cassée, je peux peut-être vous aider ?

— En fait… je voudrais un petit chariot en bois… pour un enfant », répondit Narraway en se sentant soudain idiot.

L'homme eut l'air surpris. « Vous avez un fils ? Vous voulez lui faire un cadeau, sahib ?

— Non… enfin, oui. Ce n'est pas mon fils, mais il a perdu son père, et je me disais que… » Il perdit son assurance et ne termina pas sa phrase.

« Oui, c'est possible, dit tranquillement l'homme. Je vais vous en fabriquer un. Revenez dans quelques jours. J'ai pas mal de bouts de bois. Et de la peinture rouge. Ça ne coûtera pas très cher.

— Merci. Je suis le lieutenant Narraway. Je repasserai. Ça me plairait beaucoup. »

En passant devant la maison voisine, il entendit une femme chanter, d'une voix douce et mélodieuse. Il ignorait qui elle était, mais elle chantait pour quelqu'un qu'elle aimait, il en était certain. Sans doute son enfant. Il s'éloigna à contrecœur et repartit vers le mess des officiers.

D'abord soulagé de ne pas voir Latimer, Narraway était sur le point de s'en aller lorsqu'il aperçut Strafford, et derrière lui le colonel. Il lissa sa tunique et redressa les épaules, puis il se faufila entre les tables, les chaises et les tabourets branlants, et se planta au garde-à-vous devant Latimer.

« Monsieur. »

Le colonel se tourna vers lui comme s'il avait appréhendé ce moment autant que Narraway.

« Vous êtes prêt, lieutenant ? » demanda-t-il. Il était pâle et avait l'air épuisé. Il tenait un verre de whisky que sa main semblait caresser.

« Oui, monsieur. » Tous deux savaient que c'était un mensonge, mais c'était la réponse qu'on attendait de lui.

« Vous avez parlé à Tallis ?

— Oui, monsieur.

— Ce qu'il vous a dit vous a-t-il aidé ?

— Pas beaucoup. »

Latimer sourit et, l'espace d'une seconde, les traits de son visage s'adoucirent. « Vous l'avez trouvé sympathique ? »

Narraway ne s'était pas attendu à cette question. « Euh… oui, monsieur. Je n'ai pas pu m'en empêcher. J'aurais préféré le contraire.

— Si vous aviez répondu non, je ne vous aurais pas cru, dit Latimer en poussant un soupir. Une des choses que vous devez apprendre si vous tenez à faire carrière dans l'armée, c'est de savoir quand mentir à vos supérieurs, et quand ne pas mentir. Il nous arrive de connaître la vérité mais de ne pas vouloir l'entendre.

— Pardon, monsieur… Je ne savais pas que c'était le cas.

— Ça ne l'est pas. Votre jugement est tout à fait juste. C'est un homme sympathique. Nous avons besoin du genre d'humour qu'il apporte, et de ce côté irrationnel, cette capacité d'espérer quand plus rien n'a de sens. J'aurais préféré que ce soit quelqu'un d'autre que lui. Vous ne pouvez pas le sauver, mais donnez au moins l'impression d'avoir tout tenté.

— Oui, monsieur. » Narraway se sentait stupide à force de répéter la même chose, mais il n'y avait rien de plus à ajouter.

« Busby va vous mener la vie dure… Soyez-y préparé et, quoi qu'il puisse dire, gardez votre calme. Un de ses plus vieux amis est tombé dans cette embuscade. Et il a servi longtemps avec Tierney. C'est le soldat qui a perdu une jambe.

— Oui, monsieur, je sais. Je lui ai parlé. Un brave homme…

— Vous lui avez parlé ? s'étonna Latimer. Et vous a-t-il appris quelque chose ?

— Non, monsieur. Mais j'ai estimé qu'il fallait que j'aille lui parler.

— Eh bien, vous feriez mieux de vous accorder une bonne nuit de sommeil – aussi bonne du moins qu'elle pourra l'être !

— Oui, monsieur. Bonne nuit, monsieur ! »

Latimer le salua d'un geste vague. « Bonne nuit, lieutenant !

— Merci, monsieur.

— Avez-vous fini par trouver un sens à tout cela ? » interrogea soudain le colonel.

Narraway ressentit un froid glacial au fond de lui. « Non, monsieur. Mais je trouverai.

— C'était le mensonge que je souhaitais entendre », rétorqua Latimer avec un petit sourire.

Narraway ne parvint pas à dormir. Il demeura étendu sur son lit de camp, qui était pourtant assez confortable s'il songeait à tous ces endroits où il avait dormi à poings fermés au cours de l'année précédente, y compris à même le sol. Cependant, il ne trouva pas le repos et se tourna dans tous les sens, tantôt les yeux fermés, tantôt fixant le plafond qu'éclairait un pan de ciel étoilé derrière la fenêtre. En dépit de ses efforts à le repousser, le visage de Tallis ne cessait de lui revenir à l'esprit. Comme un fardeau inéluctable qui l'oppressait.

Ce n'était pas seulement sa carrière qui était en jeu, mais l'honneur du régiment entier, la croyance en la justice comme en une chose abstraite, belle et parfaite à laquelle tout être humain était censé aspirer. Sauf que c'était absurde. Si cela s'avérait pour certains, pour la plupart ce n'était qu'un mot.

Narraway, cantonné plus au nord, n'avait pas fait partie des soldats venus libérer Kanpur, mais il avait entendu parler des horreurs qui s'y étaient déroulées. Ce que les renforts avaient vu avait failli leur faire perdre l'esprit. La vengeance avait été épouvantable. Personne ne s'était soucié de justice. Le crime avait été qualifié de simple exécution, les morts gisaient partout… Tallis aurait-il pu ne pas le savoir ?

N'avait-il pas vu l'émotion des hommes, ce regard hébété que la simple fatigue n'expliquait pas, le manque d'attention de temps à autre, voire une certaine maladresse, comme s'ils manquaient de coordination ? L'épouvante et le chagrin étaient trop immenses pour qu'ils s'en remettent en quelques mois. Peut-être ne seraient-ils plus jamais les mêmes.

À l'instant, contraint de décider ce qu'il allait dire au procès d'ici à quelques heures, Narraway préférait ne pas penser à l'avenir de sa carrière, toutefois ce n'était que partie remise.

Il ne pouvait pas gagner ; seule comptait la manière dont il perdrait. Certains le jugeraient sur le fait d'avoir simplement essayé, même si les soldats qu'ils étaient sauraient qu'il avait obéi aux ordres et n'avait pu refuser. La raison plaiderait en sa faveur, mais pas l'émotion.

Encore et toujours, il revenait à la raison. Il voyait très bien pourquoi Latimer avait besoin de comprendre. Et ce n'était pas qu'une question de morale. S'ils ne comprenaient pas, ils risqueraient de répéter les mêmes erreurs à l'avenir. Du reste, peut-être en commettaient-ils une en ce moment même… Il fallait à tout prix qu'il sache !

Qu'avait-il interprété de travers ? Quels éléments n'avait-il pas vus du tout ? Y avait-il une pièce du puzzle qui n'avait rien à y faire ? Il devait mettre au point un plan avant que se lève le matin.

Il eut beau retourner les questions dans tous les sens, il aboutit chaque fois à la même réponse. Le coupable ne pouvait être que Tallis. Or Tallis avait juré être innocent, et Busby lui-même ne trouvait aucune raison au fait qu'il ait voulu faire s'évader Dhuleep.

La raison – c'était la pièce qui manquait.

Il n'en voyait cependant pas la moindre qui aurait justifié de laisser s'échapper Dhuleep ou de tuer Chuttur. Le mieux que l'on pouvait dire était que, d'une certaine façon, ça l'aurait satisfait lui aussi. Sa volonté d'expliquer ce crime était de plus en plus forte, le besoin de se faire une vue d'ensemble qui permette de maîtriser au moins les événements les plus violents et les plus chaotiques à l'avenir.

Aucun bruit ne troublait la nuit en dehors de sa propre respiration et du bourdonnement d'un insecte.

Tout à coup, il lui vint une idée. Et si cet acte n'avait pas de sens parce que ce n'était pas le résultat que Tallis avait escompté ? S'agissait-il de quelque chose de totalement différent ? Aurait-il pu savoir que Dhuleep détenait ces informations et avoir eu l'intention de le tuer lui et non Chuttur ? Les faits reprochés à Dhuleep n'étaient pas graves. Quelques jours plus tard, il aurait été relâché de toute façon.

Comment Tallis l'aurait-il su ? Et pourquoi ne pas le tuer d'une manière plus discrète – par un moyen médical ? La mort serait alors passée pour naturelle.

Et si Chuttur avait été lui-même un traître ? Ces derniers temps, personne ne savait plus qui était avec qui. Les gens passaient d'un camp à l'autre. Au départ, les choses n'avaient pas été aussi tranchées. Il s'était agi d'une rébellion, pas d'une guerre aux lignes clairement définies.

Alors pourquoi Tallis ne le disait-il pas ? Quelqu'un qu'il ne voulait pas trahir était-il impliqué ? Craignait-il en parlant d'avertir d'autres traîtres ? Narraway ne pouvait pas oublier la confiance que l'homme avait placée en lui. Passerait-il le restant de sa vie à se mesurer à l'aune de cet échec ? Aurait-il seulement le courage de se battre pour Tallis s'il était persuadé qu'il ne pouvait qu'échouer ? Et, lorsque tout serait terminé, aurait-il celui d'assister à sa pendaison en sachant qu'il avait été son seul espoir ?

Pourquoi Tallis ne lui avouait-il pas la vérité et croyait-il qu'il le sauverait en accomplissant il ne savait quel miracle ? Ils ne se connaissaient même pas. Narraway n'avait jamais représenté personne à un procès, il n'avait aucune réputation à laquelle Tallis aurait pu se raccrocher.

Peut-être n'était-ce pas en lui qu'il avait confiance, mais en la loi britannique. Dans ce cas, où avait-il grandi pour ignorer que des erreurs judiciaires se produisaient aussi en Angleterre ?

Une confiance dans les Britanniques ? Après les atrocités perpétrées des deux côtés, ce serait absurde… D'autant que Tallis avait sûrement vu le pire. Étant infirmier, personne ne pouvait lui montrer ou lui apprendre des horreurs qu'il n'aurait déjà vues.

Narraway se tourna encore une fois et remonta la couverture. Il avait froid, était exténué et avait mal à la tête, mais le sommeil ne venait toujours pas.

À moins que Tallis ne croie en Dieu. Pour cela, il n'y avait pas besoin de raison. Dans des circonstances extrêmes, sans doute ne restait-il plus rien d'autre. Tallis était jeune. Il avait choisi une voie noble : soigner autrui, parfois même au péril de sa vie. S'il était resté en Angleterre, il aurait pu mener une vie confortable en étant respecté et à l'abri. Était-il en droit d'attendre un geste de la part du Tout-Puissant ?

Était-ce la vision qu'il avait des choses ? Le Seigneur le sauverait ?

Pourquoi le ferait-il ? Dieu n'avait pas sauvé les milliers d'hommes abattus pendant la rébellion. Pas plus qu'il n'avait sauvé les femmes et les enfants de Bibighar.

Tallis pensait-il qu'il méritait d'être sauvé et pas les autres ? Pourquoi ? Était-ce de l'arrogance ? Du désespoir ? L'impossibilité d'envisager et d'accepter sa propre mort ?

Narraway se tourna de l'autre côté, puis il s'allongea sur le dos, les yeux grands ouverts, et observa la pâle lueur que projetaient les étoiles sur le plafond.

Et lui-même, en quoi croyait-il ? En quoi avait-il confiance ? Répondre à cette question allait être difficile. N'aurait-il pas dû le savoir sans avoir à réfléchir ?

Il avait été élevé dans la religion et allait régulièrement à la messe. Comme tout le monde. Croyait-il à ce que l'Église enseignait, à ses doctrines ? Croyait-il au Dieu qu'on enseignait ?

Il réalisa soudain dans un frisson, comme si on venait de lui arracher sa couverture, qu'il ne s'était jamais interrogé avec assez de sérieux pour le savoir. S'il avait dû répondre ce soir-là, tandis qu'il fixait la lumière sur le plafond dans la chambre de cette maison plutôt miteuse… Croyait-il en Dieu ?

Il ne pouvait pas dire qu'il n'y croyait pas. Mais pas au Dieu superbe et lointain des églises qu'il avait fréquentées. S'Il était un Dieu pour tous, Il devait l'être aussi pour les Indiens, les Chinois ou les Africains. Qu'il en aille autrement eût été un affront à l'intelligence, mais plus encore à la morale.

Et, oui, il croyait en ce Dieu-là. Peut-être parce qu'il en ressentait la nécessité. Car que tout soit inutile, accidentel et dépourvu d'amour ou de finalité était d'une stérilité qu'il ne pouvait même pas envisager. Cela ne laissait aucune place au rire, à la beauté ou à l'amour, ni à l'espoir ni au pardon. Ni à ce qui fait que la femme nourrit sans cesse ses enfants et est prête à se sacrifier pour les sauver, sans penser à ce qu'il lui en coûtera.

Pourquoi faisait-il confiance à Dieu comme à un bon parent ?

La miséricorde ? Peut-être le jour du Jugement dernier, si une telle chose existait, bien que peu de signes aujourd'hui le laissent présager.

La justice ? Il y en avait peu là aussi. Toutefois, s'il y en avait une, si le bien était récompensé par le bien, et le mal par le mal, existeraient-ils l'un et l'autre ? Y aurait-il autre chose de plus que l'intérêt personnel éclairé ? Ce ne serait pas de la vertu, mais un simple troc.

Ce monde-là était si laid, si désolant et hideux qu'il repoussa cette idée. C'eût été une sorte de mort universelle.

Par conséquent, pas de justice, hormis celle que les hommes s'efforçaient de rendre.

Aucune promesse biblique ne disait dans son souvenir que la vie serait dépourvue de douleur, de chagrin ou d'injustice, seulement que, à la toute fin des fins, elle en vaudrait la peine.

La foi ? Sûrement, mais une foi aveugle qui n'attendait pas de récompense immédiate, une confiance qui ne cherchait pas à être confortée et justifiée à chaque étape au long du chemin.

Était-ce cela qu'il éprouvait ? Oui, peut-être.

Se montrerait-il à la hauteur ? Cela restait à voir…

Néanmoins, un plan commençait à se former dans sa tête, un moyen de découvrir la pièce manquante qui donnerait un sens à l'acte de Tallis, en même temps qu'au silence dans lequel il s'obstinait. La réponse devait être à chercher dans la personnalité de Dhuleep et de Chuttur, quelque chose que Tallis savait sur eux et que Latimer ignorait.

Peu à peu, il sombra dans le sommeil, un sommeil agité, rempli de cauchemars tour à tour insaisissables et d'une effrayante précision.

Le procès de John Tallis débuta le lendemain matin. Personne n'y assista hormis ceux qui étaient indispensables pour garantir la légalité de la procédure. Latimer avait voulu qu'on accorde le minimum d'attention aux détails. Il prit place au bout d'une table entre deux officiers que Narraway n'avait jamais vus. Busby était installé d'un côté à une autre table plus petite, ses papiers étalés devant lui, Narraway de l'autre.

Tallis, en uniforme, et non en tenue d'infirmier, était assis près de Narraway. Il n'avait ni menottes ni chaînes, mais des soldats gardaient la porte, et d'autres surveillaient la salle adjacente où attendaient les témoins. Deux officiers de grade inférieur avaient été chargés de jouer les huissiers, et un troisième assis à une petite table à l'écart, le porte-plume en l'air, se tenait prêt à consigner chaque phrase qui serait prononcée. Comment il parviendrait à suivre, Narraway l'ignorait.

Dès que les formalités d'usage furent terminées, Busby fit appeler son premier témoin. Il était évident à son ton brusque, à son uniforme impeccable et à ses cheveux bien peignés qu'il avait l'intention de respecter la loi à la lettre.

Certes, il savait d'avance qu'il allait gagner. Il n'y aurait pas de bataille, rien qu'un simulacre.

On appela Grant. Il entra, le dos très droit, mais l'air étrangement fatigué et d'avoir du mal à se concentrer. Il se tourna face à Busby et attendit.

Le capitaine se leva et parla à voix basse, comme s'il n'y avait qu'eux deux dans la salle.

« Je suis désolé de vous obliger à revivre tout cela, caporal Grant, dit-il. Mais je suis sûr que vous en comprenez la nécessité. Nous nous devons de rendre justice, aux morts et à leurs familles, mais aussi aux vivants. Il faut que l'on sache au-delà de ce régiment ou de Kanpur que ce meurtre sera puni de façon équitable et juste, et que nous n'agissons pas dans un esprit de revanche.

— Oui, monsieur », acquiesça Grant en redressant légèrement les épaules.

Étape par étape, Busby lui fit revivre le moment où il avait entendu l'alarme et s'était précipité vers la prison. Il lui demanda de décrire ce qu'il avait fait et vu, sans toutefois s'appesantir sur les détails les plus horribles et donner la possibilité à Narraway d'objecter qu'il jouait davantage sur les émotions que sur les faits. Tout le monde dans la salle avait été témoin d'assez de violences pour ne pas avoir besoin de mettre des mots sur les images. Et peut-être étaient-ils déjà submergés de pitié et de chagrin. Même pour un soldat endurci par la guerre, il y a des limites à ce qu'il peut supporter.

« Merci, dit Busby lorsque Grant eut fini. Veuillez rester là au cas où le lieutenant Narraway aurait des questions à vous poser. »

Lentement, Narraway se leva. Voir qu'il tremblait l'écœura. C'était absurde… Il allait perdre. Le combat était terminé avant même d'avoir commencé. Le mieux qu'il pouvait espérer était de trouver une raison qui donnerait un sens à ce crime.

Il s'éclaircit la gorge. « Caporal Grant, lorsque je vous ai interrogé hier sur ce drame, vous m'avez dit que Chuttur Singh était atteint de blessures mortelles quand vous l'avez trouvé.

— Oui, monsieur », répondit Grant, un peu trop vite. Les épaules crispées, lui aussi était nerveux. Il avait bien aimé Chuttur Singh et John Tallis. Cette épreuve lui était visiblement pénible.

« Nous avons bien compris que vous n'avez rien pu faire pour lui, caporal, commença Narraway du ton le plus bienveillant possible. Vous avez fait savoir au capitaine Busby que Chuttur Singh vous avait dit que le prisonnier s'était échappé et que le plus important était de le rattraper, est-ce exact ? »

Busby s'agita sur sa chaise, prêt à intervenir. Latimer l'arrêta d'un geste autoritaire.

« Oui, monsieur, répondit Grant.

— Il vous a dit de le laisser et d'aller poursuivre le prisonnier, Dhuleep Singh, parce qu'il connaissait l'itinéraire que devait emprunter la patrouille et à quel moment ?

— Oui, monsieur.

— Savez-vous comment il était au courant ? »

Grant parut étonné. « Non, monsieur.

— Mais vous n'en avez pas douté ?

— Non, monsieur.

— Vous m'avez expliqué que Chuttur Singh avait précisé que quelqu'un était entré dans la prison et l'avait agressé. Je vous ai demandé si Chuttur Singh vous avait indiqué qui était l'autre homme et vous m'avez répondu que non. Est-ce exact ? »

Grant poussa un soupir. « Oui, monsieur. C'est exact. Je… je ne pense pas qu'il le savait.

— Vous êtes certain qu'il ne vous l'a pas dit, et que, pour une raison ou une autre, vous ne l'avez pas gardé pour vous ? » insista Narraway.

Busby se leva d'un bond. « Colonel, c'est… »

Latimer leva la main. « Absolument, capitaine… Merci, lieutenant Narraway. Nous avons déjà établi que Chuttur Singh n'a pas dit au caporal Grant qui était son agresseur, et nous pouvons présumer sans risque qu'il ne le savait pas. Avez-vous d'autres questions, lieutenant ? Sur les renseignements que détenait Dhuleep Singh concernant la patrouille, peut-être ?

— Pas pour l'instant, merci, monsieur. » Soulagé, Narraway se rassit, les genoux tremblotants.

Busby appela ensuite Attwood, qui répéta quasiment la même chose que Grant. Les mots qu'il utilisa n'étaient cependant pas identiques au point de laisser penser qu'ils s'étaient concertés. Narraway ne trouva rien à contester et ne voulut pas courir le risque d'empirer les choses. Le désarroi d'Attwood était manifeste, tout comme sa colère et son mépris.

Enfin, Busby appela Peterson, qui n'ajouta rien d'intéressant, sinon qu'il décrivit comment il avait quitté la prison et était parti à la recherche de Dhuleep Singh. C'était lui qui avait trouvé des traces de sang indiquant de quel côté il s'était enfui. Le capitaine le pria de tout préciser en détail, donnant à la scène un côté réel et oppressant, terriblement familier à ceux qui écoutaient. C'était Peterson qui était parti dans la direction des jardins de la Bibighar et du puits.

« Avez-vous fouillé la maison Bibighar ? » demanda Busby.

Peterson était blanc comme de la craie. « Oui, monsieur. Il n'y était pas. » Il tremblait très légèrement.

« Vous avez regardé à l'intérieur de la maison ? Vous ne vous en êtes pas dispensé… parce que… »

Narraway comprit où voulait en venir Busby, et il ne put le supporter. Il se leva et fit face au colonel Latimer.

« Monsieur, le capitaine Busby suggère que le soldat Peterson a manqué à son devoir à cause des horreurs qui ont été commises en ces lieux, et peut-être de son chagrin personnel. Le soldat Peterson a expliqué à la cour qu'il avait fouillé la maison. C'est un homme honorable et un bon soldat. Il n'est accusé de rien et ne devrait pas voir son courage ou son honnêteté mis en doute. »

L'officier assis à la droite de Latimer murmura son approbation, et les deux huissiers renchérirent d'un signe de tête.

« Merci, dit Latimer. Capitaine Busby, nous estimons que le soldat Peterson a répondu à votre question. Personne n'a retrouvé Dhuleep Singh – ce n'est que trop évident pour nous tous. Si vous n'avez pas d'autres questions, une fois que le lieutenant Narraway en aura terminé, je propose d'ajourner la séance le temps que nous allions déjeuner. »

Busby se rassit, le visage un peu rouge.

« Merci, monsieur, enchaîna Narraway. Ce qui s'est passé après que l'alarme a retenti me semble très clair. Je n'ai rien de plus à demander au soldat Peterson. »

Latimer hocha la tête, impassible.

« Nous reprendrons à deux heures », déclara-t-il à l'assemblée.

Narraway partit tout seul de son côté – non qu'il eût vraiment d'autre choix ! Alors qu'il marchait dans la cour, le vent froid le cinglant à travers son uniforme, il ressentit une sorte de panique. Personne ne le traitait de haut ouvertement, mais personne ne venait lui parler non plus. En un sens, il préférait cela. Il avait besoin de s'isoler pour réfléchir.

Aucun des soldats interrogés ce matin-là ne détenait la réponse. Il était de plus en plus convaincu que celle-ci avait un lien avec Dhuleep et Chuttur, ainsi qu'avec les informations concernant la patrouille. Comment Dhuleep l'avait-il su ? Chuttur était-il impliqué d'une manière ou d'une autre ? Était-ce lui qui avait su et qu'on avait torturé ?

Connaître la réponse n'aiderait en rien Tallis. Il lui manquait toujours la clef !

Au mess des officiers, il trouva une place au fond de la salle et mangea de façon machinale. Il n'avait pas d'appétit, mais il savait que, s'il n'avalait rien, il le regretterait plus tard. Comment un plat aussi délicieux qu'un curry pouvait-il n'avoir aucun goût ?

Il laissa la moitié de son assiette et alla voir Gholab Singh, le sergent qui avait passé la majeure partie de son temps avec les troupes sikhs. Il le trouva dans un petit bureau au fond d'un des baraquements restés en grande partie intacts.

« Oui, monsieur ? » Gholab Singh se leva d'un air aimable.

Narraway se présenta et ordonna au sergent de se mettre au repos.

« Que pouvez-vous me dire au sujet de Dhuleep Singh ? demanda-t-il dès que l'homme se fut rassis. En dehors de ce que j'ai lu dans son dossier militaire. »

Le sergent eut l'air mal à l'aise. « J'ai honte pour lui, monsieur... Se révolter ouvertement, je ne peux pas le lui reprocher, du moins, pas entièrement... Mais trahir, c'est autre chose... C'est un salaud sournois, monsieur. Très rusé. Toujours à écouter et à tout noter dans sa tête, celui-là !

— Qu'il ait su où et quand passerait la patrouille ne vous a pas surpris ? »

Gholab secoua tristement la tête. « C'est un fourbe… Il salit nos noms à tous.

— Et Chuttur Singh ?

— Un brave homme, répondit Gholab sans hésiter. Je connais son frère et son cousin, ce sont des types bien. Peut-être un peu trop confiants, mais ce n'est pas un défaut. Ça vaut mieux que tromper ! » Il secoua de nouveau la tête. « Un cousin du serpent, ce Dhuleep… Qu'il morde la poussière ! »

Narraway lui posa encore plusieurs questions sans rien apprendre d'utile. Gholab ignorait si Chuttur ou Dhuleep avaient eu des liens d'amitié avec Tallis.

Le procès reprit. Busby appela le docteur Rawlins à la barre. Un silence total régnait dans la salle. Tallis, blanc comme un linge, regarda au loin pendant que le médecin décrivait les blessures infligées à Chuttur Singh.

L'expression de Busby était celle du chagrin. Chacun des hommes présents connaissait les blessures de guerre, avait vu des soldats être abattus, des amis avec qui il avait partagé des plaisanteries et des repas, en même temps que le rêve de rentrer chez soi. Mais là, c'était différent. Les hommes civilisés se battaient pour leur pays et pour un idéal. Les barbares eux-mêmes faisaient preuve de loyauté envers les leurs. Trahir et tuer un homme qui vous avait fait confiance était un meurtre, et ne méritait aucune pitié. Car si la loi devait servir à quelque chose, ne serait-ce qu'à survivre, un tel acte devait être puni. Et Tallis le savait.

« Chuttur Singh s'est-il défendu, docteur Rawlins ? demanda Busby.

— Des entailles profondes sur les bras laissent supposer qu'il a tenté de se défendre. Et je crois qu'il y avait du sang sur son sabre. Je ne peux pas vous dire ce que ça signifie, vu que son arme aurait pu être utilisée contre lui.

— Pour résumer, dit Busby d'un air résolu, on lui a donné un coup sur la tête, assez fort pour l'avoir assommé un moment, après quoi il a été frappé à mort de violents coups de sabre.

— Oui, confirma Rawlins d'une voix rauque.

— Il s'est vidé de son sang ?

— Oui.

— Aviez-vous déjà vu des blessures similaires ? »

Rawlins pâlit plus encore. « Naturellement. J'étais avec le régiment qui a secouru Kanpur après le siège. J'ai marché dans le sang jusqu'à la cheville à la Bibighar, où des femmes et des enfants ont été taillés en pièces. Certains étaient de la famille de mes amis. Je me refuse à vous décrire la scène. Ceux qui l'ont vue ne l'oublieront jamais… Quant aux autres, ils peuvent remercier Dieu de leur avoir épargné cette épreuve. »

Busby le dévisagea d'un air surpris, puis jeta un coup d'œil dans la salle. Narraway suivit son regard et vit ce qu'il avait dû voir lui aussi. Les hommes présents avaient tous reçu des soins de Rawlins à un moment ou à un autre. Le médecin avait soulagé leur douleur, les avait veillés lorsque leurs souffrances étaient impossibles à apaiser, les avait réconfortés quand ils avaient eu peur d'être mutilés ou de mourir, avait pleuré avec eux sur les proches qu'ils avaient perdus. Busby aurait été fou de le défier.

« Et les hommes de la patrouille tombée en embuscade, enchaîna-t-il en changeant d'approche. Avez-vous vu leurs corps le jour où on les a ramenés ? Enfin, ceux qu'on a ramenés...

— Ils ont été enterrés à l'endroit où ils sont tombés. Ils ont ramené les deux qui étaient encore vivants, du mieux qu'ils ont pu. Oui, je les ai vus. L'un est mort durant le trajet. L'autre semble se remettre, mais il a dû être amputé d'une jambe.

— Eux aussi ont été taillés en pièces, rappela Busby.

— Ils sont tombés dans un piège et sont morts au combat, rétorqua Rawlins. Vous n'avez aucun droit de laisser entendre qu'ils ne se sont pas défendus ! »

Le capitaine battit en retraite. « Pardonnez-moi... Ce n'est pas ce que je voulais dire. Ils ont été surpris et trahis, mais j'imagine qu'ils ont éliminé nombre d'ennemis avant de mourir, contrairement au pauvre Chuttur Singh qui a été trahi d'une tout autre manière et s'est retrouvé à un contre deux. »

Rawlins demeura coi.

Busby bougea très légèrement. La pièce n'était pas immense, et il n'y avait pas d'espace en trop. Il semblait déjà se sentir à l'étroit.

« Avez-vous autre chose à nous dire sur ce drame qui pourrait nous aider à résoudre cette affaire, permettre à la justice de s'exercer et d'être certains que nous avons fait éclater la vérité sans causer de tort à personne ? »

Rawlins se pencha en dévisageant Busby.

« Capitaine, mon travail ne consiste pas à juger, seulement à soigner si je le peux. Ce qui s'est passé dans cette prison, qui a commis ce crime et pourquoi, je l'ignore. Je vous ai décrit les blessures de Chuttur Singh après qu'on l'a transporté dans l'aile médicale. Je ne peux rien en déduire de plus que ce que je vous ai déjà dit.

— Merci, docteur Rawlins. Je m'en doutais. » Busby sembla vouloir ajouter quelque chose, puis se ravisa et se tourna vers Narraway avec une expression de politesse condescendante. S'il n'y avait pas eu cette fureur dans ses yeux, on aurait pu penser qu'il avait pitié de lui.

Narraway se leva, conscient qu'il tenait là sa dernière chance. Au fond de lui continuait à le ronger une petite douleur qu'il ne pouvait négliger. Et si Tallis était innocent ? Et si aucun d'eux n'avait posé la question qu'il fallait de peur de ne pas supporter la réponse ?

Il se tourna vers Rawlins. Sa marge de manœuvre était limitée. Le médecin n'étant pas son témoin, il ne pouvait que reprendre les questions que Busby avait soulevées.

« Depuis combien de temps exercez-vous la fonction de chirurgien au sein de ce régiment, monsieur ? »

Busby, qui était toujours debout, lança d'un air outré : « Remettriez-vous en cause les qualifications du docteur Rawlins ?

— Bien sûr que non ! s'exclama Narraway. Je cherche à établir l'étendue de son expertise. Pensez-vous que je devrais remettre en cause ses qualifications ? demanda-t-il en mettant dans sa voix le même ton d'incrédulité dédaigneuse.

— Crénom de Dieu !... » explosa Busby.

Latimer tapa du poing sur le bureau. « Capitaine Busby ! Nous ne prononcerons pas le nom du Seigneur en vain dans ce tribunal ! Nous avons beau être loin de chez nous et faire face à un danger considérable, ce n'est qu'une raison de plus de nous comporter avec dignité. Veuillez laisser le lieutenant Narraway procéder à son interrogatoire. Si ses questions paraissent inappropriées, je le lui ferai savoir. »

Un regard rageur assombrit le visage de Busby, qui néanmoins se rassit.

Narraway allait remercier Latimer quand il décida de n'en rien faire. Cela serait revenu à remuer le couteau dans la plaie. Il se contenta d'incliner la tête et se tourna de nouveau vers Rawlins.

« Depuis combien de temps êtes-vous chirurgien dans ce régiment, monsieur ?

— Sept ans et demi.

— Et avez-vous toujours eu des infirmiers, comme John Tallis ?

— Oui, bien sûr.

— Depuis quand faites-vous équipe avec John Tallis ?

— Environ deux ans.

— Et quel a été son comportement durant cette période ? » Narraway sentit son cœur s'accélérer, sa respiration peiner. Il n'avait aucune idée de ce qu'allait être la réponse de Rawlins.

Le médecin se redressa un peu et carra les épaules. Une petite veine tressaillait sur sa tempe.

Sa peau rougie par le soleil était brûlée par endroits. Il avait l'air exténué.

« Je l'ai trouvé indiscipliné, dit-il tout bas. Son sens de l'humour était peu fiable – c'est le moins qu'on puisse dire ! –, et il lui arrivait souvent de désobéir. Il était en revanche le meilleur infirmier que j'ai jamais eu, au point que je l'ai encouragé à devenir médecin. C'est un garçon très compétent. Il n'a jamais renoncé à sauver la vie d'un homme. Sa compassion est extraordinaire… Et s'il a rendu fou certains des officiers les plus rigides, je n'ai jamais rencontré un homme ordinaire, indien ou blanc, qui ne l'ait apprécié. Je me rends bien compte que ce n'est pas forcément ce que vous souhaitez entendre, cependant c'est la vérité. »

Latimer ferma les yeux. L'air dans la salle sembla soudain trop lourd. Il avait la bouche sèche et n'arrivait pas à regarder Tallis. Rawlins avait non seulement pensé le plus grand bien de ce dernier, mais il avait aussi éprouvé de la sympathie envers lui. Le sentiment de trahison était peut-être chez lui davantage personnel, il ne s'agissait pas seulement de l'armée et du pays qu'ils servaient tous les deux.

Tout le monde dévisageait Narraway, attendant qu'il poursuive.

Il avala sa salive. Il devait dire quelque chose.

« Savez-vous si le caporal Tallis connaissait Dhuleep Singh ? Y a-t-il fait allusion, ou les avez-vous vus ensemble, docteur Rawlins ?

— Non.

— Pouvez-vous imaginer pour quelle raison Tallis aurait voulu venir en aide à Dhuleep Singh ?

— Non.

— Le caporal Tallis est accusé de ce crime non pas parce que nous croyons que c'est lui qui l'a commis, mais parce que rien ne nous permet de croire qu'il puisse s'agir de quelqu'un d'autre. Nous y sommes contraints par défaut, et non parce que nous serions en mesure d'incriminer le caporal Tallis en raison de ses faits et gestes.

— Exact.

— Haïssait-il l'un des hommes de la patrouille ? »

Rawlins parut stupéfait. « Bonté divine, non !

— Savait-il seulement qui étaient ces soldats ? Détenait-il ce genre d'informations ?

— Non ! Nous nous occupons d'eux quand ils reviennent, pas avant qu'ils partent ! répondit Rawlins avec amertume. J'ignore ce que vous cherchez à suggérer, mais cela ne tient pas debout !

— C'est précisément ce que je m'efforce de démontrer, rétorqua Narraway. Il y a un élément dans cette affaire que nous n'avons toujours pas saisi.

— Si vous cherchez un sens à la guerre, vous êtes encore plus jeune et plus naïf que je ne le pensais ! s'exclama le médecin d'un air las. Survivez à cette maladie, et elle guérira d'elle-même. »

Narraway ne trouva rien à repartir. Il remercia Rawlins et s'assit.

Bien qu'il fût encore tôt, Busby demanda l'autorisation de remettre l'audition du major Strafford au lendemain, car il avait un grand nombre de preuves à fournir. Il y aurait peut-être un moyen de condenser son témoignage sans porter atteinte au bon déroulement de la justice. Latimer accepta. À quatre heures et demie, la séance fut levée.

Narraway sortit dans le jour qui déclinait. Il se sentait hébété, comme s'il venait de se battre et avait eu la chance de s'en sortir avec seulement quelques bleus et des courbatures. Il ne lui restait plus que cette soirée pour dénicher un témoin à appeler quand Strafford aurait fini de rendre compte de son enquête en concluant que seul Tallis pouvait être le coupable.

Tallis lui-même ne lui serait d'aucune aide, puisqu'il continuait à affirmer qu'il ne savait pas qui avait tué Chuttur Singh, sinon que ce n'était pas lui.

À moins de trouver ce soir-là la pièce qui manquait, Narraway n'aurait d'autre choix que de mettre en doute les témoins que produirait Strafford. Et il imaginait déjà ses chances de réussir… Personne n'admettrait avoir commis une erreur ni ne reviendrait sur ses déclarations. À force de les répéter, celles-ci se seraient gravées de façon indélébile dans leur esprit, même s'ils avaient fait preuve de circonspection au début. L'incertitude serait balayée chaque fois qu'un témoin répéterait « j'ai vu » ou « j'étais là ». Même si le doute s'insinuait, qui aurait le courage de le reconnaître devant le tribunal alors que le régiment entier l'observait ?

Il traversa l'espace qui s'étendait au-delà du bâtiment où se déroulait le procès. À l'est, le ciel s'assombrissait, et de légères rafales de vent soulevaient des tourbillons de poussière. Des enfants criaient au loin, jouant à un jeu. Un groupe de femmes s'étaient réunies et bavardaient, la tête baissée. Certaines riaient : un son doux et étonnamment agréable, sans cruauté, juste joyeux.

« Narraway ! » l'interpella brusquement une voix derrière lui.

Il se retourna et aperçut Strafford à une dizaine de mètres qui se dirigeait rapidement vers lui, ses bottes soulevant des nuages de poussière.

« Oui, monsieur ? » répondit Narraway. C'était une confrontation dont il se serait volontiers passé, mais Strafford étant d'un grade supérieur au sien, il ne pouvait se dérober.

Strafford s'arrêta devant lui, l'air mal à l'aise mais la mâchoire en avant, et il était évident qu'il n'était pas disposé à ce qu'on se débarrasse de lui.

« Demain, j'ai l'intention d'appeler les témoins qui sont en mesure d'innocenter tous les hommes à Kanpur, à l'exception de Tallis, déclara-t-il sans préambule. Aussi, par décence, ne faites pas traîner cette affaire plus qu'il n'est nécessaire. Vous pourrez interroger chacun d'entre eux autant que vous le souhaiterez, et je comprends bien que vous devez faire en sorte de tenter de défendre cet homme puisque la loi l'exige. Mais vous êtes nouveau ici – et en Inde, en l'occurrence. Ces hommes ont vécu un enfer. Chacun d'entre eux a perdu des camarades avec lesquels il a servi, des camarades qui se sont battus à ses côtés face à l'ennemi… » Il déglutit avec peine. « Peut-être ne savez-vous pas encore ce qu'est… »

Narraway se raidit. « Je ne suis pas avocat, je suis soldat, rétorqua-t-il d'un ton abrupt. Je me suis battu sur le front comme tout le monde. J'ai vu des hommes mourir et, pire encore, des hommes atteints de blessures épouvantables. Je ne voudrais pas paraître indiscipliné, monsieur, mais vous n'avez aucune raison, ni le droit, de supposer que je passe mon temps à défendre des soldats dans l'arrière-salle d'un poste militaire. Je le fais parce que j'en ai reçu l'ordre, je ne l'ai pas choisi.

— Bon Dieu, je le sais, Narraway ! s'énerva Strafford. D'après vous, qui vous a recommandé ? Latimer ne vous connaît pas plus que l'employé chargé d'expédier les dépêches !

— Dans ce cas, il ferait bien de regarder les galons sur mon épaule ! »

Strafford faillit sourire, avant de se reprendre. « Vous préféreriez que je dise qu'il ne vous distingue pas d'un autre jeune officier fraîchement débarqué du bateau ? Moi si, je vous connais, du moins de réputation. »

Le cœur de Narraway se serra. Encore le frère de Strafford, cette histoire à l'école, les moqueries, pas forcément bienveillantes, le mépris du « bûcheur » qui préférait les lettres classiques aux sports – à l'exception du cricket. Narraway s'était montré nettement plus fort au cricket que le jeune Strafford.

« Est-ce pour cette raison que vous avez suggéré au colonel Latimer de me demander de défendre Tallis ? »

Strafford haussa les sourcils. « Vous pensiez que j'avais tiré votre nom d'un chapeau ? Évidemment ! Vous êtes un sacré entêté et vous ne vous avouerez pas battu tant que vous ne verrez pas qu'en faisant un pas de plus vous vous casserez le nez. Tout homme, peu importe de quoi on l'accuse, mérite que quelqu'un plaide en sa faveur. Mais là, dans cette ville dévastée où le sol empeste encore le sang, nous devons nous assurer de pendre le bon – et vite ! Battez-vous, par tous les moyens, mais une fois que vous serez vaincu, c'est-à-dire demain, renoncez ! Et n'allez surtout pas donner de faux espoirs à Tallis… Comme un chat qui s'amuse avec une souris. Faites en sorte qu'on en finisse, rapidement et proprement. »

Narraway scruta son visage. S'il y vit de l'antipathie, elle ne s'accompagnait d'aucune fourberie.

« Êtes-vous absolument certain que Tallis est le coupable ?

— Oui, répondit Strafford sans hésiter. J'ai exploré toutes les autres hypothèses, et personne d'autre n'aurait pu commettre ce crime. Bon sang, Narraway, ce type a beau être un clown insoumis, c'est l'un des meilleurs infirmiers que j'aie jamais vus ! Les hommes le respectent. Il a sans doute sauvé autant de vies ces dernières années que Rawlins lui-même… Croyez-vous que je l'accuserais s'il avait pu s'agir d'un autre homme ? Ce que je veux, c'est la vérité – et j'aimerais qu'elle soit différente, néanmoins, c'est ainsi.

— Pourquoi ? s'entêta Narraway. Pourquoi Tallis aurait-il aidé Dhuleep Singh à s'évader ? Ils ne se connaissaient même pas ! Si c'était le cas, vous auriez fait venir un témoin pour le dire.

— Je ne sais pas, avoua Strafford, l'air malheureux, bien que nullement déconcerté. Pourquoi les gens font-ils la moitié des choses désespérées ou stupides qu'ils font ? Quand vous aurez passé un an ou deux de plus en Inde, vous ne poserez plus ce genre de questions. Où étiez-vous cet été ? Pas ici ! Pas en train de voir des hommes que vous connaissez mourir de crise cardiaque ou du choléra, s'affaiblir de jour en jour, partager le peu de vivres et d'eau qu'il restait, protéger les femmes en désespérant de les sauver… Vous n'étiez pas ici accroupi derrière ce misérable mur de terre sans rien d'autre pour vous protéger que des planches et des caisses, en sachant que le diable, Nana Sahib, amassait ses hordes et se rapprochait d'heure en heure ! »

Narraway brûlait d'envie de l'interrompre, mais il n'osa pas.

« Certains de ces hommes ont vu l'enfer comme peu de gens l'ont vu, même dans des cauchemars ou dans les horreurs de la folie, enchaîna Strafford. Regardez-les, lieutenant… Regardez leurs yeux, et revenez me demander pourquoi ils commettent des actes insensés, ou oublient qui ils sont ou pourquoi ils sont là. Imaginez ce que Tallis a vu, et demandez-moi s'il aurait pu devenir fou et faire quelque chose qui n'a aucun sens. Peut-être qu'il a cru que Chuttur Singh était Nana Sahib, ou un autre monstre qui a taillé en pièces des femmes et des enfants. Peut-être qu'il est simplement devenu fou… Je ne sais pas. Je sais seulement que personne d'autre n'aurait pu le faire. Et, croyez-moi, je le regrette. J'ai exploré toutes les autres possibilités, je vous l'ai déjà dit. »

Narraway avait l'impression qu'il venait de trébucher et de tomber, ou que le sol s'était précipité à sa rencontre. Certes, on ne pouvait attendre d'hommes qui avaient enduré ces atrocités qu'ils demeurent sains d'esprit comme ceux restés confortablement chez eux dans un monde qui obéissait aux règles de la civilisation.

Le regard bleu clair de Tallis n'avait rien de fou. Désespéré, peut-être, brillant par instants d'une lueur d'humour moqueur, mais était-ce de la folie ou au contraire le comble de la lucidité ? Le seul moyen de survivre était de vivre une minute à la fois, de rire quand on le pouvait et de pleurer quand on le devait.

« J'ai vu les corps des hommes de la patrouille, reprit Strafford, maîtrisant sa voix tant bien que mal. Ils ont été coupés en morceaux eux aussi… Je connaissais chacun d'eux. C'est moi qui ai dû annoncer leur mort à leurs femmes, et mentir en racontant que tout s'était passé très vite, qu'ils ne s'étaient pas vidés sur place de leur sang en sachant que personne ne viendrait à leur secours, ni même sans doute ne les retrouverait avant que des animaux les ait dévorés en faisant disparaître tout ce qui leur restait d'humain…

— J'ai vu Tierney. Et même assez longuement. Je lui ai parlé de la région du Kent d'où je viens, et lui m'a parlé de la sienne. Mais vous avez raison, monsieur, je n'abandonnerai pas tant que je pourrai faire un pas de plus. »

Le visage de Strafford prit un air maussade. « Michael m'a prévenu que vous étiez un entêté…

— En effet, monsieur, convint Narraway en se mettant au garde-à-vous. Je suppose que vous ne voulez pas connaître mon opinion sur lui ?

— Non, sûrement pas ! » La tension de Strafford se relâcha un court moment. « J'ai la mienne, et elle est mieux informée que la vôtre. »

Narraway se sentit un peu soulagé, mais pas assez, espéra-t-il, pour que Strafford puisse s'en rendre compte.

Le major le dévisagea un instant, puis se retourna et s'en alla. Il disparut, soulevant dans son sillage un tourbillon de poussière, comme à son arrivée. Le vent avait forci. Les branches des arbres claquèrent et des gousses de graines desséchées dégringolèrent sur le sol.

Narraway s'en alla aussi, loin des baraquements et du retranchement, des jardins de la Bibighar, des dépendances et des premières maisons. Il fallait qu'il réfléchisse à ce qu'il dirait le lendemain. Le jeune Strafford avait affirmé qu'il était entêté mais ne ferait pas un bon soldat, parce qu'il était tout en cervelle et sans courage, dépourvu de force d'âme. Il le savait pour la bonne raison qu'il le lui avait dit en face à Eton.

Eh bien, il allait prouver à Strafford que son frère cadet avait tort.

Le lendemain, Busby fit témoigner le major Strafford. Il commença par rappeler que c'était lui qui avait été chargé d'enquêter sur le meurtre de Chuttur Singh qui avait permis à Dhuleep Singh de s'échapper.

Le capitaine se tenait au centre de la petite salle, entre la table où siégeaient Latimer et les deux officiers et l'endroit où était assis le témoin, devant les tables où se trouvaient Busby d'un côté et Narraway de l'autre.

Il reprit sa respiration. « Je regrette de devoir rentrer dans les détails, mais vous êtes l'officier à qui a été confiée l'enquête sur un acte qui a coûté la vie à dix hommes et vaudra la peine de mort au coupable. Le colonel Latimer vous connaît depuis de longues années, tout comme il connaît votre dossier militaire, mais ses assistants ne savent peut-être pas aussi bien que lui le genre d'homme que vous êtes. Je dis cela parce que nous allons nous fier à votre sens de l'honneur, à votre intégrité et à votre diligence pour juger des actes d'autres hommes, et établir un verdict en conséquence. »

Strafford garda le silence.

« Chacun sait que vous avez servi pendant dix ans dans l'armée indienne, et avec le plus grand mérite. Étiez-vous ici l'été dernier pendant le siège ?

— Oui.

— Vous avez dû voir une quantité effroyable de souffrances et de morts.

— Oui.

— Connaissiez-vous le chirurgien du régiment, le docteur Rawlins ?

— Naturellement.

— Et le caporal Tallis, son infirmier ? »

L'air bouleversé, Strafford s'humecta les lèvres et toussota avant de répondre.

« Oui, bien entendu. Et avant que vous me posiez la question, c'est un excellent infirmier, qui souvent accomplit des tâches allant très au-delà de ce que requièrent son devoir ou sa formation. Tout homme ayant eu affaire à lui vous le confirmera. » Il reprit sa respiration. « Croyez-moi, il me déplaît de devoir en arriver à la conclusion qu'il est coupable d'avoir tué Chuttur Singh et laissé Dhuleep Singh s'évader. J'ai fait mon possible pour trouver une autre solution. Et si j'ai échoué, c'est parce qu'il n'y en a pas d'autre. »

Busby, raide comme un piquet, évita de croiser le regard de Narraway ou de Latimer.

« Major Strafford, je me dois de vous le demander afin que personne n'ait de doute sur vos sentiments personnels. Avez-vous jamais eu des raisons de ressentir de l'hostilité pour le caporal Tallis ? Nous savons tous qu'il lui est arrivé parfois de se montrer… insubordonné, de faire preuve d'un sens de l'humour malheureux, de se livrer à des plaisanteries puériles sur ceux qu'il considère être… plus sévères dans leur commandement qu'il ne le juge nécessaire. Aurait-il déjà fait ce genre de plaisanteries à vos dépens ? Ou entraîné ses camarades à avoir moins de respect à votre égard qu'ils ne l'auraient dû ? En d'autres termes, avez-vous été la cible de son humour ? Avez-vous été moqué ou raillé de sorte que votre autorité s'en serait retrouvée amoindrie ? »

Les joues émaciées de Strafford rougirent légèrement.

« Crénom de Dieu ! s'enflamma-t-il, manquant s'étrangler. Nous étions là tous les deux à la fin du siège, quand Mrs. Greenway a transmis la proposition de Nana Sahib de s'engager par serment à garantir le passage aux soldats, aux blessés, aux femmes et aux enfants jusqu'à Allahabad en remontant le Gange ! En échange, il a réclamé et obtenu tout l'argent, les réserves et les munitions qui se trouvaient dans ce retranchement… » Sa voix se brisa.

Narraway demeura figé, désolé non pas pour Tallis mais pour le major.

Busby attendit.

Au prix d'un réel effort, Strafford se ressaisit et inspira plusieurs fois de suite, le teint blême.

« Le matin du 27, nous sommes sortis du retranchement pour rejoindre les bateaux. Des soldats indiens étaient alignés sur les berges… »

Busby bascula son poids d'un pied sur l'autre. Personne dans la salle ne faisait le moindre bruit.

« Vous savez ce qui s'est passé ensuite, enchaîna Strafford, la gorge nouée. Tantia Topee a ordonné de sonner le clairon quand deux fusils surgis de nulle part ont ouvert le feu sur les bateaux, puis il y a eu la mitraille, les mousquets… » Des larmes roulèrent sur ses joues. Il ne prit pas la peine de les essuyer. « Les toits de chaume ont pris feu sur les embarcations. Les blessés et les invalides ont péri brûlés vifs… Plusieurs femmes, parmi lesquelles se trouvait la mienne, ont sauté à l'eau avec leurs enfants. On leur a tiré dessus, ou ils ont été attaqués à coups de sabre par des soldats qui sont entrés à cheval dans l'eau et les ont presque tous massacrés… Les hommes qui avaient réussi à regagner la rive ont été achevés sur place, les femmes et les enfants faits prisonniers. »

Latimer prit enfin la parole. « Rien de ce que l'on pourra dire n'effacera de telles atrocités… Il n'en faut pas plus à un homme pour savoir ce qu'est l'enfer. Capitaine Busby, je suppose que vous avez une intention précise en obligeant le major Strafford à revivre ce drame ? »

Busby déglutit. « Oui, monsieur. Major Strafford, pendant toute cette horreur et ensuite, quel rôle a été celui du caporal Tallis ? »

Narraway demeura stupéfait. Il ne voyait pas du tout quoi faire. La situation lui avait échappé, incontrôlable. Il regarda Tallis et vit les larmes couler sur son visage, sans aucune honte. Il clignait à peine des yeux.

« Il a secouru des blessés et a été parmi les derniers à embarquer. Il a fait ce qu'il a pu pour aider les derniers hommes attaqués. Nul n'a fait preuve de courage comme lui.

— Par conséquent, cela doit vous consterner tout autant que le docteur Rawlins d'être obligé d'en arriver à la conclusion que lui et lui seul aurait pu tuer Chuttur Singh ?

— Oui. »

Busby eut un léger haussement d'épaules. « Au cas où quelqu'un en aurait le soupçon, existe-t-il une possibilité que Chuttur Singh ait participé à cette abominable trahison ? Tallis aurait-il pu vouloir se venger de ce massacre ?

— Non, dit Strafford, la voix atone. Chuttur Singh est resté loyal toute sa vie. Je le sais. Personne ne pourrait penser autre chose.

— Je vous remercie. À présent, revenons à votre témoignage sur le meurtre de Chuttur Singh et la fuite de Dhuleep Singh. Quelle preuve avez-vous trouvée qui impliquait immédiatement quelqu'un ?

— Aucune. Chuttur Singh est mort sans livrer de nom, et les hommes qui ont répondu à l'alarme sont arrivés trop tard pour voir qui que ce soit, même quand ils sont partis à la poursuite de Dhuleep Singh.

— Et donc, qu'avez-vous fait ? » Ils savaient tous ce qu'allait répondre Strafford. Ce n'était qu'une façon de lui ouvrir la voie.

Strafford paraissait las, la fatigue creusait son visage. « J'ai commencé par interroger tous les hommes qui étaient en service, ainsi que ceux qui ne l'étaient pas mais se trouvaient au quartier général à ce moment-là. Tous ont pu expliquer où ils étaient et ce qu'ils faisaient, excepté le caporal Tallis. » Sa mâchoire se crispa.

Busby prit un air navré. « Étant donné que le caporal Tallis a nié toute implication dans le meurtre ou l'évasion, je crains d'être obligé de vous interroger plus avant sur votre enquête. Le lieutenant Narraway m'a informé qu'il n'accepterait pas de se contenter de votre parole, comme je l'espérais, ni de nous épargner ce regrettable exercice. Dieu sait si nous avons pourtant mieux à faire… »

Narraway se leva, mû davantage par la colère que par le bon sens. « Le capitaine Busby suggère-t-il par là que nous devrions pendre un homme pour un crime dont il pourrait être innocent, afin d'économiser le temps que nécessite le déroulement d'un procès, monsieur ? »

Les lèvres de Latimer se pincèrent, ses poings se crispèrent sur la table. « Non, cela va sans dire ! rétorqua-t-il avant de se tourner vers Busby. Capitaine, votre choix des mots était pour le moins maladroit… C'est vous qui nous faites perdre du temps avec vos propos déplacés. Veuillez poursuivre. »

Busby rougit de rage. Et s'il n'osa pas rétorquer, il ne s'excusa pas non plus. De nouveau, il se tourna vers Strafford.

« Pourriez-vous, je vous prie, nous faire le compte rendu des diverses étapes que vous avez suivies au cours de votre enquête, avant d'éliminer toutes les autres possibilités en dehors du caporal Tallis. »

D'une voix atone, Strafford obtempéra. Une feuille de papier à la main, il énuméra tous les hommes qui, comme il avait pu le confirmer, s'étaient trouvés dans les parages immédiats de la prison.

« Nous connaissons l'heure de l'évasion à la minute près. La plupart de ces hommes étaient dans le champ de vision de plusieurs personnes, et il s'agissait simplement d'éliminer le moindre doute quant au fait qu'ils n'auraient pas pu se trouver ailleurs à proximité de la prison. Dans tous les cas, l'officier responsable à cette heure-là pourra jurer les avoir vus, si vous le désirez. »

Avant que Busby puisse dire quelque chose, Latimer intervint.

« Si cela vous satisfait, major Strafford, la cour s'en satisfera également. Qui n'a pas encore été appelé à témoigner ? »

Strafford consulta sa liste. « Le caporal Reilly, le caporal suppléant McLeod, les soldats Scott, Carpenter et Avery, monsieur.

— Merci. Peut-être ferions-nous mieux de les entendre directement, afin que le lieutenant Narraway puisse les interroger, s'il l'estime nécessaire. » Il jeta un regard en biais à Narraway, comme pour s'assurer que le tribunal comprenait bien que c'était lui qui ralentissait inutilement la procédure.

« Oui, monsieur, s'il vous plaît », dit Narraway comme si Latimer lui avait posé une question.

Scott fut le premier à témoigner. En réponse aux questions prudentes de Busby, il raconta ce qu'il avait fait et où le jour du meurtre de Chuttur Singh. Il se trouvait de l'autre côté de la cour. Mais quiconque se déplaçant dans un sens ou dans l'autre aurait été obligé de passer devant lui, car c'était le seul moyen d'accéder à la prison étant donné qu'il n'y avait pas de porte à l'arrière.

« Que faisiez-vous, soldat Scott ?

— Des travaux de réparation dans un entrepôt, monsieur. La porte et les fenêtres ont été endommagées par des tirs pendant le siège, et je faisais en sorte qu'elles soient de nouveau étanches.

— Vous tourniez donc le dos à la cour ? demanda Busby.

— Non, monsieur. À ce moment-là, je fabriquais un nouveau cadre pour la porte. J'avais mis la planche sur une sorte d'établi pour la découper.

— Vous pouviez par conséquent voir toute personne qui serait venue par là ?

— Oui, monsieur.

— Quelqu'un pouvait-il vous voir ?

— Oui, monsieur. Le caporal suppléant McLeod et le soldat Avery.

— Et personne n'est passé devant vous ? Vous le jurez ?

— Oui, monsieur.

— Et vous êtes resté là une heure entière ?

— Oui, monsieur. Il m'a fallu plus de temps que prévu pour terminer le cadre.

— Et de l'endroit où vous étiez, pouviez-vous voir le caporal Reilly ?

— Oui, monsieur.

— S'est-il déplacé à un moment donné ?

— Oui, monsieur. Il est venu voir comment je m'en sortais. Il m'a expliqué que je m'y prenais mal et m'a montré ce qu'il fallait faire.

— Et ensuite ?

— Il est allé plus loin derrière moi vérifier comment se débrouillaient les autres. Après quoi il est revenu.

— S'est-il dirigé vers la prison ?

— Non, monsieur, dans l'autre sens. Vers le fleuve.

— Aurait-il pu faire le tour, décrire une boucle pour se rendre à la prison ?

— Non, monsieur, pas sans passer devant l'escouade qui était au bout du retranchement.

— Et le soldat Carpenter ?

— Il était en face de moi, avec le caporal Reilly.

— Tout le temps ?

— Oui, monsieur.

— Je vous remercie. » Busby se tourna vers Narraway et l'invita à prendre la parole d'un geste empreint d'une légère ironie.

Narraway accepta, plus pour gagner du temps que parce qu'il avait des questions. Il espérait qu'une idée lui viendrait. Le témoignage précédent avait confirmé que Tallis était bien l'homme qu'il pensait : courageux, irrévérencieux, doté d'un sens de l'humour irresponsable et d'une grande compassion.

Narraway fit face au soldat Scott. Ce dernier revint sur chacun de ses gestes de façon détaillée. Il répéta ce qu'il avait déjà dit, pas à la manière d'un perroquet comme s'il avait appris sa leçon par cœur, mais en revoyant clairement la scène. Narraway n'arriva à rien du tout.

Il en alla de même avec le caporal Reilly, et ensuite avec le soldat Carpenter. Busby leur demanda où ils avaient été. Chacun donna un compte rendu succinct qui, à quelques mots près, revenait au même résultat. Chaque fois ils se soutinrent, apportant la preuve qu'aucun d'eux n'aurait pu quitter son poste ou le champ de vision de ses camarades assez longtemps pour aller à la prison. Narraway sentit qu'il faisait perdre du temps à tout le monde, et il voyait bien l'impatience croissante sur les visages.

Tallis, de plus en plus désespéré, luttait pour ne pas se décomposer et conserver un semblant d'espoir. Narraway ne pouvait qu'imaginer le courage qu'il lui fallait.

Il repensa au récit qu'avait fait Strafford de cette funeste journée – les bateaux en flammes, les noyés et les morts, Tallis s'avançant dans l'eau au péril de sa vie sans jeter un regard en arrière… Narraway ne pouvait pas renoncer, pas tant qu'il n'aurait d'autre choix que de s'avouer vaincu.

McLeod vint à la barre et Busby l'interrogea à son tour.

« Oui, monsieur », dit le caporal suppléant d'un air grave. La peau très pâle, il avait tout au plus vingt-deux ans. Ses yeux hagards fixaient un point au-delà de Busby, comme s'il voyait autre chose, quelque chose gravé de façon indélébile dans sa mémoire.

« Et où étiez-vous exactement, caporal McLeod ? insista Busby.

— À l'angle, monsieur, juste derrière le bâtiment qui était pas mal endommagé.

— Au sud-ouest, c'est cela ?

— Oui, monsieur.

— Et de là, vous pouviez voir la porte de la prison ?

— Oui, monsieur.

— Vous l'avez regardée tout le temps ?

— Non, monsieur. J'étais concentré sur ce que j'étais en train de faire.

— C'est-à-dire ?

— Je réparais une carriole… L'essieu était brisé.

— Quelqu'un vous a-t-il aidé ?

— Oui, monsieur. Le soldat Avery. C'est trop lourd pour un seul homme, surtout quand il faut soulever pour souder.

— Et vous pouviez voir Scott et Reilly occupés à fabriquer un cadre de porte ?

— Oui, monsieur.

— Tout le temps ? Vous en êtes sûr ?

— Ils auraient pu partir de l'autre côté, monsieur, mais pas passer devant moi pour aller à la prison. Avery ou moi les aurions vus.

— Je vous remercie. Je vous prie de rester le temps que le lieutenant Narraway vous interroge… si toutefois il le faut. » L'invitation de Busby était pleine de sous-entendus. Autour d'eux planait le danger, la haine, des combats se déroulaient au-delà de ce qu'ils pouvaient voir et entendre. Tout le nord de l'Inde connaissait des troubles. Des amis, des alliés, des hommes engagés dans une cause commune mouraient pour sauver ce qui restait de l'autorité britannique, et eux étaient là, enfermés dans cette petite salle, en train de s'acharner sur une vérité que tous connaissaient très bien. La seule chose à faire était de l'accepter, aussi amère fût-elle. Il fallait du courage, et non plus des discours en vue de peser le pour et le contre. On aurait dit des vautours se disputant un cadavre. Busby ne l'avait pas formulé explicitement, mais il l'avait laissé entendre.

Narraway ne posa pas de questions à McLeod. Il savait qu'il avait épuisé la patience de Latimer.

Le dernier témoin était le soldat Avery.

Busby se leva et lui fit face.

« Soldat Avery, pouvez-vous décrire avec précision où vous étiez au moment où nous savons que Chuttur a été tué. Nous en avons déjà parlé. Aussi vous suffit-il de vous rappeler ce que vous m'avez raconté et de le répéter devant le tribunal. »

Docile, comme s'il récitait une sorte de litanie, Avery expliqua où il était et ce qu'il faisait à cette heure-là, l'air abasourdi. Narraway pensa qu'il s'en voulait de ne pas avoir remarqué quelque chose qui aurait pu sauver Chuttur Singh, comme s'il se sentait fautif d'avoir été aussi près et de n'avoir rien vu ni fait pour empêcher ce drame.

Quand arriva son tour de l'interroger, Narraway eut l'impression de se montrer brutal rien que par son insistance.

« Réfléchissez bien, soldat Avery, et assurez-vous que vous n'avez rien omis. Il est inutile que vous répétiez ce que vous avez déjà dit.

— Rien, monsieur. Ça s'est passé comme ça… Je regrette, monsieur.

— Juste une question… que le capitaine Busby ne vous a pas posée. Connaissez-vous le caporal Tallis ? »

Avery pâlit plus encore. « Oui, monsieur.

— Comment le connaissez-vous ?

— J'ai reçu une balle dans le bras, monsieur. La blessure n'était pas très grave, mais ça saignait beaucoup. C'est le caporal Tallis qui m'a recousu.

— Le caporal Tallis, pas le docteur Rawlins ? s'étonna Narraway.

— Le docteur Rawlins s'occupait d'un soldat plus grièvement blessé que moi, monsieur.

— Je comprends. Le caporal Tallis a-t-il fait du bon travail ?

— Oui, monsieur. Excellent. La blessure a très vite guéri. Et… » Il baissa les yeux. « Comme il y avait beaucoup de sang, j'étais affolé, mais il m'a fait rire et j'ai senti que tout allait bien se passer. C'était… c'était la première fois que j'étais touché… monsieur. » Avery avait l'air si malheureux qu'on aurait dit qu'il souffrait physiquement.

« Pouviez-vous voir la porte de la prison de là où vous étiez en train de travailler ?

— Oui, monsieur.

— Avez-vous pendant ce temps-là aperçu le caporal Tallis ? L'avez-vous vu quelque part à proximité de la prison ?

— Non, monsieur.

— Je vous remercie. » Narraway se rassit, estimant que poser toute question supplémentaire n'aurait fait qu'empirer les choses.

Latimer leva la séance et Narraway sortit dans la fin d'après-midi. Le soleil se couchait à l'horizon, embrasant l'ouest de lueurs flamboyantes. La nuit enveloppait déjà le ciel à l'est et étendait son voile d'ombre. Il eut le sentiment que l'obscurité se refermait, l'entourait et s'infiltrait en lui.

Dans ces moments-là, il ne fallait pas rester seul.

Et cependant, ce ne serait que dans la solitude qu'il parviendrait à se concentrer. Jusque-là, rien ne l'aidait. Tous les témoignages démontraient que personne d'autre n'aurait pu entrer dans la prison. Et personne n'avait quoi que ce soit de négatif à dire sur Tallis. Personne n'avait envie de le croire coupable.

Le témoignage de Strafford s'était révélé encore plus accablant que celui de Rawlins. Le major était un brave homme en deuil et désespéré, qui n'en avait pas moins accompli son devoir sans attendre de quiconque qu'il vienne alléger son fardeau. Il ne supportait pas que Tallis soit coupable. Cela trahissait tout ce en quoi il avait cru, y compris l'aide que Tallis avait été pour lui personnellement dans le passé. Peut-être s'en voulait-il plus encore en pensant aux hommes placés sous son commandement – plus jeunes et moins expérimentés –, dont la confiance avait été trahie elle aussi.

Narraway se demanda s'il doutait de son propre jugement pour s'être trompé à ce point. S'il pouvait se fier à un homme et l'admirer en s'illusionnant totalement, comment avoir confiance en son jugement en général ? Si Tallis était tellement au-dessous de l'image qu'il s'était faite de lui, qui d'autre l'était aussi ?

Et si Strafford était susceptible de se tromper, pourquoi diable aurait-il fait mieux, lui ? Il connaissait à peine Tallis. Il appréciait son humour et admirait son courage, avait vu son travail jour après jour. Ils avaient affronté l'horreur et le chagrin ensemble, et il avait en outre eu le courage d'accepter l'idée que Tallis soit coupable. Que lui en avait-il coûté ?

Les preuves étaient irréfutables. Personne n'avait menti, personne n'avait conspiré afin que la situation ressemble à celle-ci. Vouloir à tout prix une autre réponse le poussait à chercher une chose qui n'existait pas.

Peut-être qu'il n'y avait aucun sarcasme dans la remarque de Strafford sur les raisons qu'il avait eues de recommander Narraway. Peut-être le pensait-il sincèrement, et que, loin de se sentir furieux ou dupé si Narraway finissait par trouver une issue, un moyen de restaurer la confiance en Tallis et, du même coup, dans leur propre jugement, il lui en serait reconnaissant.

Par conséquent, s'il échouait, il ne laisserait pas seulement condamner Tallis, il décevrait le régiment entier – et Strafford tout autant. Vivre sans la confiance sur laquelle on s'était appuyé alors que tout le reste s'écroulait était une chose épouvantable qui vous renvoyait à votre solitude. Et si la mort n'était pas préférable, il y avait des moments, par exemple à deux heures du matin, où opter pour cette solution pouvait sembler plus facile.

Et puis, des femmes et des enfants se retrouvaient sans leurs maris – comme celle qu'il avait aidée à porter ses courses, et dont la petite fille lui avait offert la guirlande bleue fabriquée pour Noël. Une fête pour tout le monde, ainsi que l'avait rappelé son fils.

Tout à coup, Narraway eut honte de se montrer aussi égocentrique. Car si quelqu'un avait été trahi, endeuillé, accusé à tort ou pas, ce n'était pas lui. Il était censé participer à la résolution de l'affaire, être celui qui se battrait pour la justice, que ce soit pour justifier l'innocence de Tallis ou le condamner à mort.

Il continua à marcher sans but. Il avait eu l'intention de rentrer chez lui et de passer la soirée à reconsidérer tout ce qu'il avait appris, dans l'espoir de voir se dégager une incohérence, un élément nouveau à partir duquel tirer une nouvelle déduction.

Cependant, alors qu'il avançait sur la route, il se surprit à s'écarter du chemin qui menait à son bungalow pour aller vers la maison où la petite fille lui avait donné la guirlande.

Le soir approchait, et, comme toujours en Inde, la nuit tomberait très vite. Ici, il n'y avait pas de crépuscule comme dans le Nord. Bientôt, les lumières s'allumeraient derrière les fenêtres. Des femmes commenceraient à préparer le dîner. Des odeurs de cuisine alléchantes flotteraient dans l'air. Ce ne serait qu'après que les enfants auraient été mis au lit qu'elles iraient s'asseoir dans les pièces désertes du rez-de-chaussée et affronteraient la longue solitude de la nuit, les souvenirs et le deuil.

Helena, assise sur le perron, tenait dans les bras une poupée à laquelle elle parlait. Elle se rendit compte qu'il était là devant le portail et lui adressa un sourire timide.

Narraway demeura où il était et lui sourit à son tour.

La jeune femme arriva sur le seuil. Il avait appris qu'elle s'appelait Olivia Barber. Sans doute l'avait-elle aperçu derrière la fenêtre et venait-elle vérifier que sa fille ne courait aucun risque.

« Bonsoir, lieutenant, dit-elle, assez fort pour qu'il l'entende.

— Bonsoir, madame. Je ne voulais pas vous déranger, pardonnez-moi…

— C'est l'heure de dîner, intervint Helena, sans le quitter des yeux. Tu es venu manger avec nous ? »

Il se sentit gêné, comme s'il avait cherché à s'inviter.

Olivia posa la main sur l'épaule de sa fille et la tira un peu en arrière. « Vous êtes le bienvenu, si vous voulez, dit-elle. Je vous prie d'excuser l'audace de ma fille. »

Bien qu'encore plus mal à l'aise, il avait très envie d'accepter. Il avait envie de confort, de la normalité que cela représentait, de penser à la vie, et même à Noël. La jeune femme ferait cela pour le bien de ses enfants, quels que soient ses besoins à elle ou la peine qui l'écrasait et que personne ne pouvait voir. Si elle pleurait, elle le ferait une fois seule.

« Vous êtes sûre que cela ne vous dérange pas ? » demanda Narraway, hésitant. Lui aussi voulait plus que tout oublier la défaite, ne serait-ce qu'une heure ou deux.

« Tout à fait sûre », répondit-elle en ouvrant plus grand la porte.

Il remonta l'allée et entra dans la maison sous le regard scrutateur d'Helena. Tout à coup, il se demanda avec chagrin si elle avait compris que son père ne reviendrait plus. Était-elle trop jeune ? Sa mère le lui avait-elle expliqué ?

À l'intérieur, il faisait chaud. La maison bien tenue sentait bon la cuisine, le linge propre et la cire. De rares jouets étaient éparpillés par terre. Il fut content de voir qu'il n'y avait pas de chariot.

Mais, à cinq ans, peut-être que David était trop grand pour ce genre de choses. Fallait-il qu'il pose la question ? Serait-ce maladroit ?

Le repas n'était pas encore prêt. Olivia l'invita à s'asseoir.

« Tu ne vas pas jouer avec moi ? demanda la petite fille avec une moue déçue. David est en train de lire...

— Helena ! la réprimanda sa mère. Le lieutenant a travaillé toute la journée... Il est fatigué. »

La petite eut un air dépité.

« J'aimerais beaucoup jouer avec toi, s'empressa de dire Narraway. À quoi veux-tu qu'on joue ? »

Il fut récompensé par un sourire rayonnant. « À cache-cache !

— Helena... » commença sa mère. Mais la petite avait déjà filé en riant d'excitation.

Narraway se leva. « Où dois-je la chercher ? demanda-t-il à voix basse. Je ne voudrais pas la trouver trop vite... Me diriez-vous où je peux aller chercher ? »

Olivia éclata de rire et haussa les épaules. « N'importe où dans cette moitié de maison ! Vous pouvez regarder sans risque derrière les portes et dans les placards... Elle ne se cache presque jamais là.

— Merci. » Il s'éloigna, d'un pas mal assuré. C'était une maison où il était invité, la maison d'une femme pleine de choses personnelles et familiales. S'imposer serait inexcusable. Il avança d'abord timidement et en silence, puis il se rendit compte que ce ne serait pas drôle pour la petite fille si elle ne l'entendait pas la chercher en se demandant où elle était.

« Je vais te trouver ! lança-t-il d'une voix claire en se dirigeant vers l'entrée. Je parie que tu es là, dans ce placard… » Il ouvrit la porte, content de n'y voir que des manteaux et des capes, puis il la referma et aperçut un casier à bottes. « Est-ce que tu serais là ? Non, c'est trop petit… mais qui sait ? » Il l'ouvrit, soupira et la referma. « Non… Mais alors, où peux-tu bien être ? »

Il continua à faire des commentaires tout haut et passa d'une pièce à l'autre sans la trouver. Il n'en restait plus qu'une, qui devait être sa chambre. Tout doucement, il entrouvrit la porte, craignant de déranger.

« Non, que je suis bête, elle ne peut pas être ici… Il n'est pas encore l'heure d'aller se coucher ! » Il regarda autour de lui. Le petit lit était parfaitement bordé, à l'exception du couvre-lit tombé par terre. Elle n'était pas là. Il était perplexe. Il pensait avoir regardé partout, à part dans la chambre d'Olivia et celle où David était en train de lire.

« J'abandonne ! cria-t-il d'un ton théâtral. Helena a disparu ! »

Un gloussement s'échappa du couvre-lit, puis, très lentement, une petite fille aux cheveux ébouriffés en émergea. Son visage rayonnait de triomphe, ses yeux brillaient.

« J'ai gagné ! s'écria-t-elle, folle de joie. Tu ne m'as pas trouvée ! J'ai faim… Tu viens dîner ? » Sautillant d'un pied sur l'autre, elle l'entraîna par la main.

Narraway la suivit dans la salle à manger et prit place en face de David, déjà attablé. Toujours un peu mal à l'aise, il appréciait d'être accueilli, mais il avait conscience d'occuper la place d'un autre homme. Une bonne partie de cette chaleur était feinte, destinée à les réconforter tous un court instant. C'était un jeu qui offrait quelques heures de répit loin de la réalité.

Ils parlèrent d'autres lieux et d'autres époques, sans évoquer l'Inde ni rien d'autre que le moment présent. Ils parlèrent de Noël, de la promesse d'espoir qu'il donnait à ceux qui avaient le courage d'accepter son message et d'y croire.

Mais quand la gouvernante vint chercher Helena et David pour aller les coucher et qu'ils eurent dit bonne nuit, Narraway resta encore un peu dans le salon paisible. Maintenant qu'elle ne faisait plus semblant, il voyait qu'Olivia était épuisée, et l'effort que lui coûtait de cacher son chagrin à ses enfants afin qu'ils ne sachent pas à quel point tout avait changé. Partout alentour la guerre faisait rage, mais les enfants n'avaient pas peur parce qu'elle-même ne montrait rien de la sienne.

Soudain, ses ennuis lui parurent dérisoires et très passagers.

« Merci, dit-il avec sincérité. Vous m'avez rappelé que les choses qui durent sont pleines de bon sens, et qu'elles ne sont pas toujours achetées à vil prix. »

Olivia le regarda d'un air étonné, pas sûre de comprendre ce qu'il voulait dire. Le repas, à base de riz, avait été d'une extrême simplicité.

Il enchaîna avec la première chose qui lui traversa l'esprit. « Avez-vous d'autres guirlandes ? Je pourrais vous aider à les accrocher.

— Lieutenant, ce sont juste des…

— Il vaut mieux être deux. Un à chaque extrémité. Les enfants ne seraient-ils pas heureux de les voir suspendues quand ils se lèveront demain matin ?

— Vous n'êtes pas obligé de…

— J'aimerais le faire. On ne devrait jamais oublier Noël, ou en faire peu de cas. Nous offrons des cadeaux, mais aucun n'est plus précieux que Noël lui-même. La croyance. » Il se tut, se sentant emprunté.

Olivia lui sourit et se leva. « Vous avez raison. C'est vrai. J'aimerais beaucoup que vous m'aidiez à installer les guirlandes… Nous en avons cinq ou six, et aussi des couronnes de fleurs séchées avec des rubans. »

Elle alla les chercher. Ils les accrochèrent ensemble, pas toujours très droit, mais lorsqu'ils eurent fini une heure plus tard, la pièce paraissait transformée. On y percevait une sorte de courage éclatant, et, aux yeux de Narraway, c'était comme hisser un pavillon en haut d'un mât, une déclaration d'espoir.

« Vous pensez que ça va leur plaire ? » demanda-t-il en la regardant. Il vit sur son visage une lumière, et même un peu de joie.

« Ils vont adorer, assura-t-elle. Si vous permettez, je ferai semblant d'être aussi surprise qu'eux.

— C'est une excellente idée ! Nous devons nous préparer à fêter Noël, mais c'est bon de savoir qu'il viendra de toute façon.

— Voudriez-vous une tasse de thé avant de partir ?

— Très volontiers, merci. » Narraway la suivit dans la cuisine pendant qu'elle le préparait et que la bonne finissait de remettre de l'ordre.

Un peu plus tard, il la remercia une dernière fois, puis il sortit dans la nuit, le sourire aux lèvres. Il aurait aimé croire qu'il avait apporté un peu d'aide.

Loin au-dessus de lui, une nuée d'oiseaux fendit le ciel dégagé et descendit en tournoyant vers les arbres. On aurait dit qu'il y en avait sans cesse, sauf au-dessus de la partie en ruine de la ville, des quantités de toutes sortes qu'il n'avait jamais vues ailleurs. Il aimait leur vol gracieux qui donnait une impression de liberté, cette capacité quasi magique à s'élever au-dessus de tout et d'être ce que l'on voulait quand on le voulait.

Il savait très bien qu'il leur fallait affronter la faim, le froid, la fatigue et les prédateurs, comme tout un chacun, mais le rêve qu'ils offraient momentanément valait la peine.

Il allait devoir rappeler tous les témoins et trouver une divergence dans leurs propos, une erreur ou une contradiction. Il détestait l'idée d'argumenter et d'essayer de les prendre en défaut pour relever une anomalie. Une seule chose serait pire : laisser Tallis être pendu sans s'être battu de son mieux.

Cette pensée le ramena au fait qu'il ne pouvait éviter plus longtemps de retourner le voir, sans doute pour la dernière fois. Le vent s'était levé et les feuilles bruissaient sur les arbres, comme un murmure. Il faisait presque nuit, les oiseaux avaient disparu, un mince ruban de lueur rouge à l'ouest s'estompait peu à peu.

Et soudain, il eut une idée, aussi vacillante que la dernière lueur, insaisissable, mais pas impossible !

Pendant quelques minutes, Narraway crut que le garde épuisé allait refuser de le laisser entrer. Cependant, ce dernier décida que discuter serait plus compliqué que simplement céder.

Tallis était étendu sur son bat-flanc, les yeux grands ouverts. Il se leva en voyant entrer Narraway tandis que la porte se refermait derrière lui. Il était encore plus pâle, sa peau parsemée d'ombres bleutées, comme si sa chair commençait déjà à se décomposer.

« Vous avez mauvaise mine, observa Narraway d'un air inquiet. Voulez-vous que je fasse venir Rawlins ? »

Tallis se fendit d'un sourire. « J'aime beaucoup votre sens de l'humour, lieutenant ! Je n'aurais pas fait mieux. À quoi bon ? Avant de signer l'acte de décès, il faut attendre que le patient soit mort ! À moins que vous n'ayez renoncé à prouver mon innocence, et que vous ne vouliez me faire sortir à l'état de macchabée et prétendre ensuite que je me suis échappé ? C'est absurde, mais j'apprécie qu'un homme refuse de s'avouer vaincu. » Il mima un salut militaire.

Narraway perçut la nervosité dans sa voix, la peur à fleur de peau. « Je comptais suggérer qu'il vous donne quelque chose pour que vous ayez meilleure apparence, à défaut de vous sentir mieux, répliqua-t-il en s'efforçant de sourire. J'ai l'intention d'aller jusqu'au bout, que ce soit utile ou non.

C'est une chose d'être vaincu, c'en est une autre de renoncer.

— Ce ne sera pas bon pour votre carrière, lui fit remarquer Tallis.

— Asseyez-vous avant de vous écrouler par terre, lui conseilla Narraway. Demain, j'aurai besoin de vos réponses.

— Ça ne changera rien. Dans la vie civile, ils y réfléchissent à deux fois avant de pendre un homme malade, mais dans l'armée, ils s'en fichent ! Vous avez beau avoir un bras ou une jambe en moins et être complètement K.-O., il y aura toujours un abruti serviable prêt à vous attacher pour qu'ils vous passent la corde autour du cou !

— Merci, dit Narraway avec ironie. Si jamais on m'accuse en rentrant chez moi, je me souviendrai d'être malade… Maintenant, asseyez-vous et soyez attentif. »

Tallis obtempéra. En fait, il faillit perdre l'équilibre car il avait oublié qu'il n'y avait pas de chaise, seulement le matelas à même le sol. Quand il leva les yeux vers Narraway, une lueur d'espoir éclaira son regard avant qu'il ne s'applique aussitôt à la chasser.

« Avez-vous tué Chuttur Singh ?

— Non.

— Que savez-vous au sujet de Dhuleep Singh ? Et ne me répondez pas “rien”. Vous avez soigné la moitié des hommes de ce régiment. J'ai besoin d'en savoir le plus possible sur Chuttur et Dhuleep. Vous avez jusqu'à minuit.

— Vous allez faire quoi, à minuit ? demanda Tallis, intrigué. Pour un jeune soldat censé être en pleine forme, vous avez besoin de beaucoup de sommeil…

— Je vais tâcher d'en apprendre davantage sur ces hommes et de rassembler les pièces du puzzle, pardi ! Pour obtenir un tableau différent. Allez-y. »

Mais Tallis ne lui en apprit guère plus que ce qu'il savait déjà. Il lui décrivit seulement avec plus de vivacité l'horreur et l'épuisement. Il n'y avait en lui aucune colère, sinon face aux circonstances qui coûtaient à des jeunes gens une si grande part de leur vie pour si peu en retour. Il y avait en revanche de la pitié et de l'humour désabusé, de la camaraderie, des gouffres de solitude et, toujours derrière tout cela, un courage qui se relevait chaque fois qu'il était abattu.

Néanmoins, rien de ce qu'il dit ne permit à Narraway de se forger une nouvelle hypothèse, si bien que, juste après minuit, il alla chercher les témoins, quitte à les réveiller, pour encore une fois leur poser des questions.

Quel soldat et quel homme avait été Dhuleep ? D'après son nom, c'était un sikh. Certains sikhs étaient restés fidèles aux Britanniques, d'autres avaient rallié les rebelles. Pourquoi avait-il changé de camp ? Et, plus grave, pourquoi personne ne s'en était-il aperçu ?

Était-il coupable de ce pour quoi on l'avait mis en prison ?

« De ça, et d'un vol quelque temps auparavant », lui dit un sergent épuisé, assis à la cantine à moitié endormi. Il clignait des paupières, de meilleure humeur cependant que ne l'aurait été Narraway s'il avait été réveillé à deux heures du matin par un supérieur ayant moins d'années d'expérience.

« Un vol de quoi ?

— De médicaments. De la quinine, je crois.

— Pour la revendre ? En distribuer à d'autres ? En avait-il lui-même besoin ? » Narraway était intéressé dans la mesure où cette information le renseignerait sur le caractère de Dhuleep et son opportunisme éventuel.

« Pas tant que ça ! répondit le sergent avec un sourire en coin. Dieu sait pourquoi il en voulait ! Il ne l'a pas dit. Peut-être pour la revendre ou l'apporter aux rebelles, ou en donner à ses amis ou à ses alliés... ou simplement nous en priver !

— Tallis aurait-il pu être de mèche ? » Narraway ne tenait pas vraiment à connaître la réponse, mais il n'osait pas éluder cette question. « Dans le but d'en tirer un profit ? ajouta-t-il.

— Non, dit le sergent, l'air sûr de lui. C'est Tallis qui a signalé le vol. S'il avait attendu, on n'aurait probablement jamais su qui l'avait volée... ni récupérée, d'ailleurs.

— Vous avez donc confondu Dhuleep Singh grâce à Tallis ?

— Sans doute. Mais ce n'est pas Tallis qui l'a surpris, c'était deux habitués... L'un d'eux s'appelle Johnson, l'autre Robinson... ou Roberts, je ne sais plus.

— Avant ce vol, quel genre d'homme était Dhuleep ?

— Je n'en sais trop rien... Normal, je pense. Un peu sournois, le bougre, mais plutôt bon soldat. En tout cas, il en avait l'air… S'il avait déjà volé, il ne s'était pas fait pincer.

— Pourquoi n'y avait-il qu'un seul garde pour le surveiller ?

— Parce que c'était qu'un pauvre fainéant, et puis, il était enfermé dans une cellule à double tour. On n'aurait même pas pris la peine de l'enfermer, s'il n'y avait pas eu ce vol de médicaments.

— Merci, dit Narraway en se levant. Je ferai bien d'aller étudier cette histoire de plus près pour voir si je peux en tirer quelque chose. »

Le sergent se leva lui aussi – un homme grand, le torse large, les épaules tombant de lassitude. « Vous êtes combatif, faut vous reconnaître ça ! Vous n'abandonnez jamais, pas vrai ?

— J'irai jusqu'au bout », convint Narraway, à qui le compliment parut à la fois ambigu et bienvenu.

Une heure plus tard, Narraway venait de passer en revue pour la énième fois les éléments dont il disposait lorsqu'il repéra une contradiction entre les déclarations du caporal Reilly et celles du soldat Carpenter. Elle était minuscule ; quelque chose dans l'ordre des événements, dont aucun n'avait en soi de l'importance. Il reprit ses notes, les relut afin de s'assurer que ce n'était pas lui qui avait écrit trop vite et compris de travers.

Carpenter avait affirmé qu'il se tenait dans un angle d'où il pouvait voir Scott au bout de la cour, découpant le bois pour la nouvelle porte, et McLeod et Avery dans le coin opposé, avec vue sur l'entrée de la prison à une centaine de mètres sur la gauche.

Reilly avait par ailleurs affirmé que Carpenter avait été là tout le temps visible, ce qu'avaient également soutenu les trois autres.

Mais si Reilly disait vrai, et son témoignage corroborait celui de Scott, alors Carpenter mentait. Il avait couvert McLeod et Avery alors qu'ils avaient dû être en dehors de son champ de vision, du côté de la prison. Ce n'était pas grand-chose, mais ils ne pouvaient pas tous avoir raison. S'agissait-il d'une simple erreur, celle d'un homme fatigué et trop ébranlé pour se rappeler les choses de façon précise ? D'ailleurs, est-ce que cela avait désormais la moindre importance ? Pas s'il s'agissait bien d'une erreur. Mais s'il se trompait ? Il ne pouvait pas s'y fier. Si son hypothèse était fausse, il lui fallait quelque chose à quoi se raccrocher. Ils avaient tous juré être restés sous le regard les uns des autres en permanence, et que personne n'avait pu se rendre à la prison avant que Grant ne réponde à l'alarme.

Il devait immédiatement aller réveiller Carpenter et lui réclamer une explication. Délicat de le déranger au milieu de la nuit pour lui soumettre ce qui n'était peut-être qu'une simple erreur, mais la vie de Tallis pouvait en dépendre.

Narraway traversa la cour en direction des baraquements délabrés où Carpenter était cantonné et le trouva non sans mal. Il dut convaincre un garde de son identité, et que sa requête ne pouvait souffrir de délai. Il s'attendait à trouver Carpenter endormi. Mais il était allongé sur un matelas de paille sommaire sur lequel il se tournait et se retournait par intermittence. Il se redressa dès qu'il sentit la présence de Narraway.

Narraway s'excusa aussitôt. Il parla le plus bas possible pour ne pas déranger les autres soldats étendus à proximité qui, eux aussi, auraient pu avoir des difficultés à dormir.

« Il faut que je vous parle avant que le procès ne reprenne demain matin. En privé.

— Quoi ? » Carpenter était sidéré. « Vous allez me rappeler à la barre, lieutenant ? » Il se passa la main dans les cheveux et se redressa sur un coude. « Pourquoi ? Je ne sais pas qui a tué Chuttur Singh. Je sais juste que ce n'est pas moi et que ce n'est ni Reilly, ni Scott, ni Avery. C'est impossible.

— Pouvons-nous sortir ? » Narraway le formula comme une demande, mais c'était en réalité un ordre.

Sans un mot, Carpenter se leva, enfila son pantalon et sa tunique, puis le suivit à l'extérieur. Il faisait nuit noire. La lueur des étoiles n'offrait que peu de lumière, et le vent s'était renforcé. À une vingtaine de mètres, les branches des tamariniers s'entrechoquaient dans un bruissement de feuilles.

« Qu'est-ce qu'il y a, monsieur ? » demanda Carpenter, un peu tremblant.

Narraway reprit son témoignage mot à mot. Il le connaissait par cœur. Il répéta chaque étape, chaque phrase qui précisait la position qu'occupaient les autres. Il ne pouvait pas se permettre de négliger quoi que ce soit.

« Oui », fit Carpenter avec lassitude.

Narraway secoua la tête. « Non. Pas si le caporal Reilly était où il a dit qu'il se trouvait. Il devait être à l'angle, sans avoir vue sur la prison. Ça ne colle pas. L'un de vous s'est trompé. S'agit-il d'une erreur ou d'un mensonge ? Réfléchissez bien avant de répondre, soldat. »

Carpenter demeura immobile. Bien que ses yeux se soient habitués à l'obscurité, Narraway ne distingua aucune expression particulière sur son visage. Il cligna des yeux plusieurs fois, comme si les tourbillons de poussière le gênaient, en se passant le bras sur la joue.

Narraway patienta. Il se sentait coupable. L'homme qui était devant lui ne manifestait ni arrogance ni colère, il était en proie à un conflit intérieur qu'il avait de la peine à résoudre.

« Si vous ne me dites pas la vérité, Tallis risque d'être exécuté pour un acte qu'il n'a pas commis, finit-il par dire. Un brave homme, un homme dont nous avons grand besoin, subira une injustice que nous ne serons jamais en mesure de rectifier. Était-ce une erreur, soldat Carpenter, ou bien un mensonge ? »

Carpenter se mordit la lèvre.

Narraway attendit. Il crut un instant qu'il s'était endormi debout.

« Un mensonge, monsieur. » Il semblait avoir la bouche trop sèche pour articuler.

« Vous vous êtes absenté ? Ou bien Reilly ? » Narraway frissonna à l'idée que ce qui lui avait paru n'être qu'une possibilité – une branche à laquelle se raccrocher – devienne une réalité.

« Reilly, monsieur. Enfin, pour autant que je sache. » Il se redressa, raide comme un I. « Je n'ai rien vu qui concerne le meurtre de Chuttur Singh.

Pas plus que je n'ai vu le caporal Tallis ou Dhuleep Singh après qu'il s'est enfui. Je ne peux pas vous aider, monsieur. »

Narraway vit qu'il tremblait. Fallait-il insister ? Cela changerait-il quelque chose au sort de Tallis ?

« Je n'en veux pas moins savoir où vous étiez », dit-il.

Carpenter prit un air résigné. « J'étais avec Ingalls, monsieur. Il était… malade.

— Dans ce cas, le major Rawlins doit être au courant. » Narraway se demanda pourquoi le médecin ne l'avait pas signalé. Qu'il n'ait rien su des déclarations de Carpenter était-il envisageable ? Compte tenu de la tension, du chagrin et de la colère après le meurtre de Chuttur Singh, sans parler de la trahison de la patrouille par Dhuleep, et des interrogatoires que Strafford avait menés pour savoir où se trouvait chacun, la chose semblait difficile à croire.

« Soldat Carpenter ! le pressa Narraway.

— Oui, monsieur. » Carpenter se raidit plus encore.

« Est-ce oui, monsieur, Rawlins est au courant… ou bien oui, monsieur, je vous écoute ?

— Oui, monsieur, je vous écoute… Non, monsieur, le major Rawlins n'est pas au courant. Ce… n'était pas ce genre de maladie…

— Vous voulez dire qu'il était ivre ? Pourquoi n'est-il pas simplement aller cuver son vin ? » Narraway était décontenancé, et même troublé. Allait-il enfin apprendre la vérité sur le meurtre de Chuttur Singh ? « Carpenter ! Vous feriez mieux de m'avouer la vérité plutôt que m'obliger à vous l'extirper… et à traîner cet Ingalls devant le tribunal dans quelques heures !

— Oui, monsieur. » Carpenter s'affaissa, comme s'il n'avait plus ni la force ni la volonté de se tenir droit.

Narraway le saisit par le bras et sentit sa peau glacée à travers sa tunique. « Venez vous asseoir et racontez-moi ce qui ne va pas avec Ingalls… Et pour quelle raison vous êtes allé le voir au lieu d'appeler le médecin. »

Carpenter cessa de résister. Ils marchèrent jusqu'à un tas de gravats, reste du bombardement durant le siège. Pendant quelques minutes, il demeura assis là penché en avant, le temps de rassembler ses pensées, puis il prit la parole :

« Ingalls boit… beaucoup. Ce jour-là, il était fin saoul. Jones l'a couvert. On le fait tous. » Il ne regarda même pas Narraway pour le défier. « Mais il n'a pas réussi à le maîtriser. Ingalls était dans un état pire que d'habitude. Il tremblait comme une feuille, sanglotait… Jones ne pouvait pas l'empêcher de crier. Dans sa tête, il revivait le jour où on est arrivés ici après le siège. Il faisait partie de ceux qui ont découvert les cadavres dans le puits de la Bibighar. Ils avaient alors fait un serment, et il pense qu'il l'a trahi parce qu'il… » Il se prit la tête entre les mains.

« Quoi ? » demanda Narraway d'un ton brusque. Il redoutait ce qu'il allait entendre. « Je dois savoir si je vais pouvoir aider Tallis, insista-t-il.

— Il délirait. Il revoyait tout, l'odeur du sang, les mouches qui bourdonnaient… Tallis l'a aidé à plusieurs reprises. Il le faisait rire. » Il se tourna un instant face à Narraway. « Vous devez sauver Tallis, monsieur. Je ne sais pas ce qui s'est passé, mais il n'a pas pu le faire, à moins d'avoir eu une raison... Je veux dire, une qu'il ne pouvait pas se sortir de la tête, une qui... » Il se retourna et se tut.

« Ingalls, l'encouragea Narraway.

— Il n'était plus lui-même. Il voulait se tuer. Il a dit qu'il avait essayé, que la fille de Wheeler le hantait, que partout il voyait son fantôme...

— Quoi ? La fille de Wheeler ? De quoi parlez-vous ? Du général Wheeler ? » De folles hypothèses se bousculèrent dans sa tête. « Carpenter ! »

Le soldat le regarda.

« Pourquoi vous ? demanda Narraway.

— Parce que j'étais là-bas moi aussi.

— Là-bas où ?

— À la Bibighar. Elle faisait partie des femmes qu'ils ont tuées. On a retrouvé sa tête. Quelqu'un, je crois que c'était Frazer, a découpé la peau de son crâne et l'a divisée en deux en nous en donnant chacun un bout. Il nous a demandé de compter les cheveux et a juré qu'il tuerait un rebelle pour chaque cheveu. Ingalls n'a pas pu. Il a essayé... »

Narraway se figea, indifférent à ce qui l'entourait – le vent dans les tamariniers, la poussière virevoltant dans la cour, la lueur des étoiles.

Carpenter bougea légèrement pour changer de position. « Que sommes-nous devenus, monsieur ? Il ne comprend pas. Il n'arrête pas de demander ce qu'on fout ici... Peu importe qu'on fasse des Indiens des chrétiens, que fait-on de nous-mêmes ? Et vous savez quoi, monsieur ? Je ne peux pas lui répondre. Je ne sais pas quoi faire ! Pour vous dire la vérité, je voudrais que Tallis soit là. Il savait lui parler, lui, parce qu'il plaisantait de tout, ne cherchait jamais à avoir raison, il était juste… gentil. »

Narraway resta un instant immobile sans dire un mot. Il souhaitait à ce point sauver Tallis qu'il ressentait une sorte de souffrance physique, comme s'il lui manquait quelque chose, et que ce vide allait le dévorer.

« Il ne vous racontait pas que vous alliez vivre s'il savait que vous alliez mourir, reprit Carpenter, la voix comme désincarnée dans l'obscurité et le bruissement du vent. Il avait l'air de ne pas croire à grand-chose. Il n'en parlait jamais. Mais si vous aviez la trouille, ou si vous étiez ivre à ne plus tenir debout et que vous voyiez des tas de choses qui n'étaient pas là, ou que vous couriez comme un imbécile pour aller vous planquer dans un coin la tête entre les genoux en n'arrêtant pas de pleurer… il ne vous parlait pas moins comme à un homme, et du coup, vous valiez quelque chose.

— Combien de temps êtes-vous resté avec Ingalls ?

— Je n'en sais rien. Le temps qu'il se calme, et que je sois sûr qu'il allait dormir au lieu de se trancher la gorge… Je ne pouvais quand même pas cacher tous les couteaux ! dit-il en éclatant de rire. Tallis a dit ça, un jour : planquons tous les couteaux et les fusils pour que personne ne se tue. Bien sûr, ils ne pourraient plus se tuer entre eux non plus, mais rien n'est jamais parfait, pas vrai ? Et après, il a eu ce rire fou… » Il poussa un long soupir. « Mais ça ne change rien. J'aurais juré sur ma vie qu'il n'aurait jamais fait de mal à personne, mais peut-être qu'il est devenu cinglé… Reilly était là, et il a menti pour me couvrir. Et moi j'ai menti pour couvrir Ingalls. Ça change rien au fait que personne aurait pu entrer dans la prison à part Tallis… Il est le seul qui en a eu l'occasion. »

Carpenter se tourna vers Narraway et se redressa un peu. « Dommage que vous puissiez pas pendre Ingalls à sa place… Il aimerait bien. Ça mettrait fin à son malheur. C'est ce qu'aurait dit Tallis, et il aurait ri… Sauf que ce n'est pas drôle, parce que c'est la réalité. Je ne peux pas vous aider, monsieur. Et vous devriez me croire, parce que, si je l'avais pu, je l'aurais déjà fait.

— Je suis désolé de vous avoir réveillé, dit tout bas Narraway. J'ai cru un instant que j'avais trouvé quelque chose. Retournez vous coucher. Vous arriverez peut-être à dormir… Il le faut bien, de temps en temps. »

Pendant plusieurs minutes, Carpenter demeura immobile, puis il finit par se lever, tout engourdi.

« Désolé, monsieur », répéta-t-il, et avant que Narraway ait pu répondre, il s'éloigna en titubant et disparut dans l'obscurité.

Narraway resta encore quelques instants sur le tas de gravats, puis, dans la nuit froide et le vent, il repartit à pas lents vers ses quartiers, vers quelques heures de sommeil et d'oubli avant d'aller livrer bataille.

Le lendemain matin, le temps était calme et froid. Bien que nul n'ait jamais vu la neige à Kanpur, il était facile de se rendre compte que le jour le plus court de l'année approchait et que Noël serait dans quelques jours.

L'ambiance dans la petite salle était morose. Personne n'avait l'air d'avoir dormi, et l'idée même de célébrer Noël semblait absurde, une idée appartenant à un autre monde.

Busby se leva.

« Je n'ai pas d'autres témoins à appeler, monsieur, dit-il en s'adressant à Latimer, son regard englobant les deux autres officiers. Chuttur Singh a été frappé à mort, c'est indubitable, et j'ai démontré sans l'ombre d'un doute que personne n'aurait pu le faire en dehors du caporal John Tallis. Je ne peux fournir aucune explication sur son mobile. A-t-il été menacé, soudoyé, a-t-il simplement perdu la tête sous la pression des événements, je n'en sais rien, et je ne crois pas que ce soit important. Les faits sont là. »

Latimer hocha tristement la tête. Il se tourna vers Narraway. « Souhaitez-vous dire quelque chose, lieutenant Narraway ? Il est de votre devoir de présenter tous les arguments dont vous disposez qui plaideraient en faveur du prisonnier. »

Narraway se leva. Sa nuit, quoique brève, avait été peuplée de cauchemars. Il avait l'impression que tout ceci n'était que le prolongement de ce vide qui l'oppressait. Il avait la bouche sèche.

« Oui, monsieur. » Il déglutit. « Le capitaine Busby a présenté un solide dossier concluant à la culpabilité du caporal Tallis, mais celui-ci repose uniquement sur le fait qu'il a été dans l'incapacité de trouver quelqu'un d'autre à accuser. Il n'a même pas laissé entendre que le caporal Tallis avait été vu à l'heure et sur le lieu du crime, qu'il s'était comporté comme un homme coupable ou qu'on avait relevé sur lui des traces de lutte : des bleus, des entailles ou du sang, pas même un uniforme taché ou déchiré. Il ne nous a donné aucun mobile qui aurait incité Tallis à commettre un tel acte, à moins d'avoir été victime d'un coup de folie aussi soudain que momentané. »

Busby se leva, prêt à intervenir.

« Asseyez-vous, capitaine ! lui ordonna Latimer d'un air sombre. Votre désaccord est tenu pour acquis. Laissez une chance à cet homme. »

Le capitaine se raidit de tout son être, mais demeura coi.

« Monsieur, reprit Narraway, je pense qu'il pourrait y avoir une autre explication aux faits, cependant, pour en être certain, il me faut d'abord interroger de nouveau des témoins. J'ai d'ores et déjà relevé plusieurs erreurs, que j'ai analysées attentivement avant de découvrir qu'elles n'avaient aucun lien avec la mort de Chuttur Singh. J'ai besoin d'approfondir certains autres aspects sur lesquels ces erreurs auraient pu jeter une nouvelle lumière. » C'était très exagéré. Il n'avait pas l'intention de leur parler de Carpenter et d'Ingalls, néanmoins il devait faire comme s'il avait une meilleure raison de rappeler des témoins que de vagues spéculations, aussi plausibles fussent-elles.

Latimer faillit rejeter sa demande, puis changea d'avis. « Poursuivez, lieutenant Narraway. Toutefois, si vous vous écartez du sujet, je vous arrêterai moi-même, quel que soit le désaccord du capitaine Busby.

— Oui, monsieur. J'appelle le caporal Grant. »

Ce dernier se vit rappeler qu'il témoignait sous serment, puis fit face à Narraway d'un air intrigué.

Narraway était douloureusement conscient que tout le monde dans la salle le dévisageait avec un réel mécontentement et une certaine suspicion. Il évita de croiser le regard de Tallis.

« Caporal Grant… » Il s'éclaircit la gorge. Tout à coup, son idée lui parut absurde. Il allait se ridiculiser, ruiner sa carrière, décevoir Latimer et voir Tallis pendu ! « Voudriez-vous rappeler à la cour où vous vous trouviez au moment où vous avez entendu l'alarme et ce que vous avez fait ? Soyez exact, je vous prie, et si vous ne vous souvenez pas de quelque chose, dites-le. Il n'y a aucune honte à avoir l'esprit si concentré sur son devoir, surtout en période de crise, qu'on ne remarque pas d'autres choses. »

Grant s'exécuta, lentement et avec soin.

Lorsqu'il eut terminé, Narraway reprit le fil, la voix un peu tremblante.

« Chuttur Singh était mourant au moment où il vous a dit que le prisonnier s'était échappé. Et comme celui-ci détenait des renseignements précieux sur la patrouille, il vous a enjoint de le rattraper à tout prix. On ne pouvait plus rien pour lui, même si vous aviez fait venir un médecin. Est-ce exact ?

— Oui, monsieur. J'ai voulu aller chercher de l'aide, mais il a insisté en disant que c'était inutile et que je ferais mieux de poursuivre le prisonnier. » L'air bouleversé, Grant avait les joues en feu, comme s'il se sentait coupable de la décision qu'il avait prise.

« Et c'était bien après l'arrivée d'Attwood et Peterson ? » Narraway voulait des détails précis. « Faisait-il sombre dans la pièce ? » Il retint son souffle dans l'attente de la réponse. « Chuttur avait-il le visage en sang ?

— Oui, monsieur. »

Busby se leva, le regard noir, la voix râpeuse de colère.

« Monsieur, ces hommes ont fait exactement ce à quoi ils ont été entraînés, et tout ce qu'il fallait ! Laisser entendre qu'ils ont commis une faute et qu'ils auraient dû rester auprès d'un homme pour qui personne ne pouvait plus rien est aussi cruel que déplacé ! Cela ne fait que montrer l'inexpérience du lieutenant Narraway et… »

Latimer l'arrêta d'un geste. « Assez, capitaine Busby ! Votre point de vue est on ne peut plus clair. » Il se tourna vers Narraway. « Lieutenant, seriez-vous en train de suggérer que l'un de ces hommes aurait dû assister Chuttur Singh au lieu de poursuivre le prisonnier évadé ? C'est une décision qu'ils ont prise dans le feu de l'action, mais je pense que c'était la bonne. Du reste, qu'est-ce que cela changerait par rapport à la culpabilité ou l'innocence de John Tallis ? »

Narraway sentit le sang lui monter au visage. Il savait qu'il avait dû avoir l'air brutal et donner l'impression de chercher à accuser Grant, cependant il n'y avait pas d'autre solution… Dieu veuille qu'il ait raison !

« Non, monsieur, répondit-il le plus posément possible. Grant, Attwood et Peterson se sont tous trois comportés en bons soldats. Mon intention n'est nullement de les critiquer. Je veux seulement avoir la certitude, sans que subsiste l'ombre d'un doute, que c'est bien ainsi que les choses se sont passées.

— Si vous n'en venez pas très vite au fait, je serai obligé de vous interrompre, et vous empêcher ainsi de nous faire perdre davantage notre temps, l'avertit Latimer. Poursuivez. »

Narraway s'adressa de nouveau au témoin. « Vous êtes tous trois partis à la poursuite du fugitif, Dhuleep Singh ? Vous en êtes sûr ?

— Oui, monsieur, répéta Grant, le teint blême, sa détresse évidente.

— Merci. Ce sera tout. » Narraway hésita à s'excuser, puis laissa passer l'occasion.

Busby déclina l'offre d'interroger Grant plus avant. Son expression reflétait son profond écœurement.

Tout reposait maintenant sur un pari. Narraway se releva. « Je souhaiterais rappeler à la barre le docteur Rawlins, monsieur.

— Est-ce vraiment indispensable, lieutenant ? demanda Latimer d'une voix lasse.

— Oui, monsieur. Je crois qu'il pourrait être en mesure de compléter ma défense et d'innocenter le caporal Tallis. » L'espoir reprenait de la force et une forme plus précise dans son esprit de minute en minute. S'il avait tort, il n'y aurait plus rien à dire.

Latimer accepta. Un long silence pesant s'étira pendant que quelqu'un allait chercher le médecin. Narraway n'osa pas regarder Tallis.

Busby s'adossa à sa chaise, sans faire mystère de son impatience et de son mépris. Il s'agita, déplaça ses papiers, se tordit le cou pour voir si Rawlins arrivait.

Latimer attendit sans bouger ni regarder aucun des deux officiers qui siégeaient à ses côtés. Il semblait au bord de l'épuisement, comme si tout espoir en lui aussi était mort.

Les secondes s'écoulèrent.

Enfin, Rawlins arriva. Tout le monde se redressa et se força à écouter.

On rappela à Rawlins qu'il témoignait sous serment, ainsi que la fonction qui était la sienne. Il attendit d'un air interloqué d'entendre ce qu'on allait lui demander. Lui aussi évita de regarder Tallis.

Narraway choisit ses mots avec d'infinies précautions. De ce qu'il allait dire pourrait dépendre la vie d'un homme. Il s'éclaircit la gorge.

« Major Rawlins, vous avez décrit les blessures de Chuttur Singh, et je ne vous demanderai pas de le faire une seconde fois. Veuillez simplement, je vous prie, confirmer ce que vous nous avez dit. On l'a frappé à la tête, mais pas assez gravement pour le tuer, juste pour l'assommer. Il a été blessé à coups de sabre, des coups qui ont entraîné des saignements abondants, au point que son uniforme était imbibé de sang. Est-ce exact ? »

Rawlins blêmit à ce souvenir. « Oui.

— Il s'est vidé de son sang ?

— Je l'ai déjà dit ! Et je n'aurais rien pu faire pour le sauver. Prétendre le contraire n'est pas seulement grotesque, c'est faire offense à ces trois hommes qui l'ont trouvé…

— C'est-à-dire Grant, Attwood et Peterson ? » Narraway était conscient d'une tension électrique dans la salle, presque un picotement. D'une seconde à l'autre, Busby allait l'interrompre. « Docteur Rawlins ? insista-t-il.

— Oui, évidemment !

— Tous les trois sont partis à la poursuite de Dhuleep Singh pour tenter de le rattraper ?

— Oui ! répondit Rawlins, criant presque.

— Alors, qui vous a apporté le corps de Chuttur Singh ? » Narraway avait la bouche tellement sèche qu'il avait de la peine à articuler, et, en même temps, il dégoulinait de sueur.

Rawlins se figea, les yeux écarquillés.

Un silence s'abattit sur la salle, oppressant, comme si l'air était soudain devenu irrespirable.

« Oh, mon Dieu ! murmura Rawlins en soupirant d'horreur. C'était un sikh… C'était… »

Narraway s'humecta les lèvres et se força à parler d'une voix posée. « Cet homme aurait-il pu être Dhuleep Singh ? »

Rawlins avait compris. Le teint d'un gris de cendre, il le fixa avec des yeux ébahis.

« Oui. »

Busby se redressa en dévisageant le médecin.

Latimer se pencha en avant et regarda d'abord Rawlins, ensuite Narraway.

Narraway avala sa salive.

« Monsieur, dit-il à Latimer. Je suggère qu'il existe une autre explication à ce drame. John Tallis est innocent, ainsi qu'il l'a toujours affirmé. Supposer qu'il était coupable n'a été possible qu'en l'absence d'une autre réponse. »

Busby se leva. « Êtes-vous en train de dire que Dhuleep s'est évadé tout seul, sans l'aide de Tallis ?

C'est ridicule ! Comment serait-il sorti de la prison ? Il en était parti avant que ne soient arrivés Grant, Attwood et Peterson !

— Non, dit Narraway avec fermeté. Non, il n'était pas parti. » Il se tourna vers Latimer. « Et si Dhuleep Singh avait berné Chuttur, s'il avait feint d'être malade ou lui avait proposé de lui livrer une information ou autre chose ? Il a attaqué Chuttur, après quoi il lui a pris son sabre et ses clefs. Et quand il l'a eu tué, ou quasiment, il…

— Il n'était pas là quand Grant est arrivé ! insista Busby.

— Si. Chuttur a été dépouillé de son uniforme de garde et caché sous des draps. L'homme auquel a parlé Grant, et qui lui a dit que le prisonnier s'était échappé en détenant des informations vitales, n'était autre que Dhuleep en personne. Du sang rendait ses traits méconnaissables, et il s'était revêtu des habits sanguinolents de Chuttur.

« Nous avons tous cru que quelqu'un avait ouvert la porte de l'extérieur et que Dhuleep s'était enfui en la refermant derrière lui. Mais, en réalité, c'est Grant qui le premier a ouvert la porte, personne d'autre ! »

On entendit un soupir dans la salle, mais personne ne bougea.

« Dhuleep a poussé Grant et ses camarades à agir au plus vite. Dès qu'ils ont été partis, il a enlevé les vêtements ensanglantés de Chuttur et s'est rhabillé, puis il l'a apporté chez le docteur Rawlins. Et ensuite, il a lui-même pris part aux recherches ! Il n'y a jamais eu de troisième homme. » Narraway reprit son souffle en tremblant. « Voilà qui répond à toutes les questions, monsieur, et apporte la preuve que John Tallis n'est coupable de rien de plus que de s'être trouvé en train de travailler tout seul dans les parages immédiats de la prison. »

Rawlins se passa la main sur le front. « Vous avez raison, dit-il, éberlué, mais il éprouvait un tel soulagement qu'il se mit à trembler tandis que des couleurs revenaient sur son visage. J'ai à peine regardé l'homme qui m'a amené Chuttur et ai concentré toute mon attention sur le blessé… Mais c'était bien un sikh… » Sa voix reprit de la force. « Nous avons cru que Dhuleep s'était enfui. Et, bien évidemment, les trois hommes qui sont partis à sa recherche ne l'ont jamais rattrapé – puisqu'il était derrière eux ! Il est sorti par la porte de l'hôpital dans la direction opposée et s'en est allé discrètement. » Il regarda Tallis. « Je suis désolé, John… Ce qu'on a fait à Chuttur m'a tellement épouvanté que je n'ai qu'à peine jeté un coup d'œil à l'homme qui l'a amené.

— Et il comptait justement là-dessus, observa Narraway avant de se tourner vers Latimer. Monsieur, avec tout mon respect, je demande que le caporal Tallis soit reconnu non coupable de tout méfait. Il n'y a ici aucun traître. »

Un sourire se dessina sur le visage de Latimer, la lumière revint dans son regard, et il retrouva ses couleurs. Il se redressa sur sa chaise et regarda d'abord l'officier à sa droite, puis celui à sa gauche. Chacun acquiesça d'un signe de tête, eux aussi souriant.

« Merci, lieutenant Narraway, dit-il tout bas. La cour déclare le caporal Tallis non coupable. Vous êtes libre, caporal ! »

Tallis voulut se lever, mais ce retournement aussi soudain qu'incroyable le laissa à tel point hébété que ses jambes se dérobèrent sous lui.

Strafford traversa la salle et tendit la main à Narraway.

« Mon frère s'est trompé sur votre compte, dit-il avec un plaisir non dissimulé. Vous êtes un sacré bon soldat ! Il n'y aura personne, homme ou femme, dans ce régiment qui ne vous sera pas reconnaissant de ce que vous venez de faire. Vous nous avez redonné confiance en nous-mêmes… Je vous souhaite un joyeux Noël ! »

Narraway sentit les larmes lui piquer les yeux. « Merci, monsieur. Joyeux Noël à vous également ! Je me sens un peu plus d'humeur à le fêter… D'ailleurs, je vais aller mettre des décorations dans mes quartiers. J'ai une guirlande bleue en papier que j'aimerais accrocher dans un endroit spécial. »

Strafford ne lui demanda pas de s'expliquer – non que Narraway l'aurait fait – et lui serra la main avec une telle vigueur qu'il faillit lui broyer les doigts.

« Merci encore, répéta-t-il. Et joyeux Noël ! »

Du même auteur
aux Éditions 10/18

Série « Petits crimes de Noël »

Série « Charlotte et Thomas Pitt »

Seven Dials, n° 4086
Long Spoon Lane, n° 4111
Buckingham Palace Gardens, n° 4227
Lisson Grove, n° 4333
Dorchester Terrace, n° 4509
Bryanston Mews, n° 4653
L'inconnue de Blackheath, n° 4786

Série « William Monk »

Un étranger dans le miroir, n° 2978
Un deuil dangereux, n° 3063
Défense et trahison, n° 3100
Vocation fatale, n° 3155
Des âmes noires, n° 3224
La marque de Caïn, n° 3300
Scandale et calomnie, n° 3346
Un cri étranglé, n° 3400
Mariage impossible, n° 3468
Passé sous silence, n° 3521
Esclaves du passé, n° 3567
Funérailles en bleu, n° 3640
Mort d'un étranger, n° 3697
Meurtres sur les docks, n° 3794
Meurtres souterrains, n° 3917
Mémoire coupable, n° 4230
La fin justifie les moyens, n° 4446
Une mer sans soleil, n° 4579
Une question de justice, n° 4747
Du sang sur la Tamise, n° 4816

Série « Joseph et Matthew Reavley »

Avant la tourmente, n° 3761
Le temps des armes, n° 3863
Les anges des ténèbres, n° 4009
Les tranchées de la haine, n° 4024
À la mémoire des morts, n° 4140

Dépôt légal : novembre 2014
Imprimé en Espagne par Liberdúplex